イランの地下世界

若宮 總

角川新書

はじめに

二〇二二年秋、テヘラン――。

「女性、命、自由！」

「独裁者に死を！」

険しい表情を浮かべ、あらん限りの声でスローガンを叫ぶ若者たち。その脇を通り過ぎるドライバーたちは、彼らへの連帯の意思を示そうと、クラクションを高らかに鳴らす。

即席のバリケードで道路を封鎖しているのは、一帯に店を構える男たちだ。その外側には銃を携えた治安部隊の姿も見える。

怒り狂った人々の放った火が、街のあちこちで燃えさかっている。モクモクと立ち上るその黒い煙に、風で漂ってきた催涙弾の白煙が混じる。

あたりが暗くなっても、騒擾が終わる気配はない。乾いた発砲音が数発、夜空に響く。興奮した男たちの怒声に、逃げ惑う女たちの悲鳴。この街の人たちは、今日もまた眠れない夜を過ごすことになるだろう――。

イランでのちに「女性と命と自由の運動」と呼ばれることになる、大規模な反体制デモの様子だ。

ことの発端は、九月一六日にクルド系（イランの少数民族）の女性、マフサ・アミニ（当時二二歳）が、テヘランの病院で不審な死を遂げたことであった。

マフサはこの三日前、頭髪を隠すためのスカーフを適切にかぶっていないことを理由に、「風紀警察」によって身柄を拘束されていた。その際に頭部を強く殴打されたことが彼女の死因と考えられた（イラン当局は死因を「持病による発作」と発表）。

イスラム法学者が国家権力の中枢を握るイランでは、すべての女性に対して公共の場におけるスカーフなどの着用が義務づけられている。イラン人は、こうした服装規定に、これまでもたびたび反対の声を上げてきた(1)。

今回も「風紀警察」の暴挙に憤った人々は街頭で抗議のデモを始めたが、多くの国民がこれに合流するにいたって、デモはイラン・イスラム共和国そのものの打倒を目指す、未曽有（みぞう）の反体制運動に発展した。

その主役を担っていたのは一〇代から二〇代の若者たちである。

とくに女性の姿が目立ったことも、この運動の特徴だ。彼女たちは治安部隊の目の前でスカーフを脱ぎ、踏みつけ、それを火にくべた。自らの命をもかえりみないその勇敢な姿に、

スカーフ強制への抗議が、未曽有の反体制デモに発展した。テヘランで通りに繰り出したイランのデモ隊。2022年9月21日。AFP＝時事

多くの国民が心を打たれ、涙した。

しかし、政府は容赦しなかった。

一時は国営放送がハッキングされ、軍の離反によるクーデターの可能性までささやかれたものの、デモ隊に対する血みどろの弾圧が続いた結果、街頭での運動は年が変わるころには徐々に当初の勢いを失っていった。

このデモで命を落とした人の数は、翌二三年の三月までに五〇〇人以上、逮捕者は二万人にのぼるといわれている（人権団体発表。なお、逮捕者のうち九人には死刑が執行された）。

最終的には鎮圧されたとはいうものの、その期間の長さといい、犠牲者の多さといい、デモは前代未聞の規模となった。これ

以降、イスラム体制と国民の対立が一層深まったことは言うに及ばず、それまでわずかに残されていた和解の可能性すら、もはや完全に失われることになった。

ところが、これだけ大きな意味をもっていた反体制デモは、日本ではあまり注目されなかった。同じころ、毎日さかんに報道されていたウクライナ情勢などと比べると、不自然なくらい、その差は歴然としていた。

しかも、多くのメディアは、イラン人がスカーフ強制に反発していることは指摘しながらも、彼らの最大目標がイスラム体制の打倒であることにはほとんど言及しておらず、デモを過小評価しようとする意図すら、私には感じられた。

メディアが大々的に報じなければ、当然、国民の関心も低い。

今この本を手にとったことで、「そういえば、そんなこともあったな」と、今更ながらあのデモを思い出した方も多いのではないだろうか。

あるいは、マフサ・アミニの名や、「女性、命、自由」のスローガンなど聞いたことすらないという読者がいたとしても、私は驚かない。

デモ以前に、そもそもイランという国自体が、日本人にはかなり縁遠い存在だ。その責任の一端は、学者やジャーナリストなど、この国に関わってきた人間にもある。

書店や図書館に足を運べば、イラン関連の本はそれなりに並んでいる。

そうしたなかには良書も少なくないが、多くの場合、読むほうの頭がショートしそうなくらい難解であるか、逆にあまりに皮相的で、あくびが出るほど退屈であるかのどちらかだ。その中間、つまり、誰にでもスラスラ読めて、なおかつ中身が濃く、読後に「イランのことがよくわかった！」と膝(ひざ)を打ちたくなるような本は、残念ながらわずかしかない。これでは、いつまでもイラン・ファンの裾野(すその)が広がらないのも、むべなるかなである。

本書は、二〇二二年の反体制デモの背景を考察することも、もちろん主眼のひとつとしてはいるが、それ以上に、上記のようなイランをめぐる日本の言論空間に一石を投じてみたいという思いから書かれた部分が大きい。

とはいえ、学者でもジャーナリストでもない私にできることは限られていた。知識量では到底、学者にかなわないし、取材力ではジャーナリストに遠く及ばない。

ただ、二つだけ、私にもいくらか勝ち目が残されていると思われる点があった。ひとつは、長年イランという国でイラン人たちと暮らしてきた経験であり、もうひとつはそこで培ってきた語学力だ。

あまり調子に乗って大見得を切ると、自分で自分のハードルを上げることになるので、ここから先は淡々と事実だけを述べることにしよう。

私とイランの出会いは中学時代にさかのぼる。

それ以前から中東や中央アジアに漠然とした興味を抱いていた私は、NHKの紀行番組などでイランの壮麗なイスラム建築や、エネルギッシュで猥雑な町の雰囲気を目の当たりにし、たちまちこの国の虜になってしまった。

高校の地理や世界史の授業でイランの「イ」の字でも出てこようものなら、まだ見ぬ地にもかかわらず自分の国が紹介されているような興奮を覚えたものである。

大学へ入り、イランの公用語であるペルシア語を学び始めてからは、その美しい響きに魅せられたこともあり、もはや寝ても覚めても頭の中はイランのことばかり。

イラン関係の本や論文、新聞記事などを読み漁り、今どきの言葉でいえば完全にイランという沼にハマった学生時代を送っていた。

転機が訪れたのは二〇代後半、テヘランに留学していたころだった。

「いくら本や新聞を読んでも、この国の本当の姿は見えてこない。イランを知るためには、まずイラン人を知る必要があるのではないか」――。

こうして私は書を捨て、町へ出た。

と言えばかっこいいが、要は不勉強な学生だっただけである。

しかし、「イラン人からイランを見る」という当時のスタンスは今でも正しかったと思っているし、それは本書の内容にも生かされている。

イラン人たちとの暮らしのなかで私が目にしたもの、それはさながら乾ききったこの国の砂漠の下を流れる水脈にも似た、豊かな「地下世界」であった。

そのなかには、イランで違法、もしくはタブーとされる麻薬やアルコール、同性愛、婚前交渉なども含まれるが、それだけではない。

そもそもイラン人は、本音と建前を実にうまく使い分ける人たちだ。

そうした本音、彼らに特有の気質や思考パターンなども、一見すると外から見えにくいという意味で「地下世界」を構成する重要な要素である。

たとえば、しっかりとベールに身を包んでいるイラン人女性は、本当に敬虔（けいけん）なムスリムと言えるのか。[2]

イスラムに棄教者はいないとされるが、果たして実際はどうか。

反体制派の人々は、イスラム体制なき後の国家ビジョンをどう描いているのか。

あるいは、権利意識が強く、相互扶助の精神にあふれたイラン人たちが、民主主義的な政治体制を築けないのはなぜなのか。彼ら自身のなかにも問題があるのではないか——。

こうした問いに対する答えはいずれも、イラン人のなかに分け入り、彼らと友情を結び、その信頼関係をもとに、ペルシア語で率直な思いを引きだすことによってしか、明らかにできなかったものであると自負している。

地下世界――。そこには、イラン政府はもちろん、ときにイラン国民でさえも容易には認めたがらない、この国の真実が隠されている。

おっと、いけない。「事実を淡々と」などと言いながら、またまた大層な言挙げをしてしまった。

まあ、能書きはこれくらいにして、あとはこの本を手にとってくださった読者諸氏の審判にすべてを委(ゆだ)ねようと思う。

なお、私は反体制デモのころ、たまたま日本に帰国していたため、デモを間近で見たわけではない。そのため、この時期の描写は、イランの友人たちから直接寄せられる情報やペルシア語メディアの映像などを元にしたものであることを断っておく。

また、私が本名を明かさず、ペンネームでこの本を書くことに対して批判があろうことは十分承知している。「卑怯者(ひきょうもの)」という非難も、甘んじて受ける覚悟である。

ただ、こうすることによってしか語ることのできなかった内容が、本書にはたくさんある。匿名としたのは、一切の忖度(そんたく)なく事実をありのままに伝えるためで、それ以上の理由は何もない。本書内の筆者の知人・友人の名前もすべて仮名であることをお断りしておく。

本書によって、イランに関心をもつ日本人がさらに増え、両国の相互理解が一層深まることを心から願っている。

（1） 女性の頭髪を隠す布にはいくつか種類があるが、本書では必要な場合を除き、これらをすべて「スカーフ」と呼ぶ。なお、女性にはスカーフだけでなく、肌や体の線を隠すような服装の着用も義務づけられている。このような服装とスカーフを総称する場合、本書では「ベール」の語を用いる。ただし、スカーフ以外はすでになかば形骸化しているため、イランで主に問題とされてきたのはスカーフである。

（2） アラビア語の「ムスリム」はイスラム教徒の男性を指す語で、女性は「ムスリマ」と言うのが正しいが、こちらはまだ日本ではあまり馴染みのない言葉である。また、ペルシア語でも男女で異なる呼称は用いられないので、本書では性別を問わずイスラム教徒はすべてムスリムと呼ぶ。

目次

ウズベキスタン
トルクメニスタン
ゴレスターン
北ホラーサーン
マシュハド
セムナーン
ラザヴィー・ホラーサーン
アフガニスタン
ラ
ヤズド
ン
南ホラーサーン
ケルマーン
ファールス
パキスタン
ホルモズガーン
スィースターン・バルーチェスターン
ホルムズ海峡
アラブ
首長国連邦
オマーン
オマーン湾

トルコ
カスピ海
アルダビール
タブリーズ
東アーザルバーイジャーン
マーザンダラーン
アルボルズ
ギーラーン
西アーザルバーイジャーン
ザンジャーン
コルデスターン
キャラジ
ガズヴィーン
テヘラン
テヘラン
シリア
ハマダーン
ゴム
ケルマーンシャー
マルキャズィー
ロレスターン
エスファハーン
イラク
イーラーム
エスファハーン
イ
チャハール=マハール・バフティヤーリー
フーゼスターン
コフギールーイェ・ブーイェル=アフマド
アバダン
シーラーズ
クウェート
ブーシェフル
ペルシア湾
サウジアラビア
バーレーン
イラン全州・主要都市および周辺諸国
カタール
0
200
400km

第一章　ベールというカラクリ――貞節、政治化、「イスラム・ヤクザ」

スカーフを脱ぎ始めた女性たち

二〇二二年の反体制デモから一年半以上が経った今、テヘランを訪れる人はそこをドバイやイスタンブルと錯覚するかもしれない。

もちろん、テヘランには高級なビーチリゾートもなければ、フェリーの行き交う穏やかな入り江もない。

しかし、この町には新しい「風景」がある。スカーフなしで歩く女性たちだ。

その姿は、まさにひとつの風景と言ってよいほど、すっかりこの町になじんでいる。女性がスカーフをはずして道を歩くだけで、すすけたコンクリート砂漠だと思っていたテヘランの町の印象さえも、どこか明るくなる。

正直、これほど短い期間に、これほど大きな変化が起こるとは思ってもみなかった。それはイラン人にとっても同じだ。何しろ、ついこのあいだまで「スカーフが自由になる日は、イスラム体制の崩壊する日」とまで言われていたのだから。

今でもはっきり覚えていることがある。二〇一八年ごろだったろうか。私は友人のサラさんにこう言った。

「賭けてもいい。あと一五年以内に、スカーフは自由になる!」

たいした根拠もなく豪語する私を、彼女はあきれたような目で見ていた。

「ありえないわ。この体制はスカーフでもっているようなものなんだから」

その表情には、悲しいあきらめが漂っていた。彼女は日頃からスカーフを「鬱陶しいぼろきれ」と呼び、プライベートでは決してそれをかぶらなかった。

「スカーフでもっている」というのは、つまりこういうことだ。イスラム体制は、「イスラム的支配」を常に可視化したい。まあ早い話、「ほら見て、こんなところにもイスラム的支配が及んでるでしょ!」と見せびらかしたいわけだ。

女性たちがスカーフをかぶれば、とりあえず「イスラムっぽい雰囲気」は十分すぎるくらいに出る。

逆に、かぶってもらえなくなると、「あれれ、この国のどこがイスラムなの？」と言われかねない。つまり、体制の求心力が問われてしまうのだ。

スカーフは政治的な「道具」としてイスラム体制の根幹を支え、自分たちはその犠牲となっている――。それがこの国に暮らす女性たちの常識だった。だからこそ、「スカーフが自由になる日は、イスラム体制の崩壊する日」だったのである。

ところが、である。

サラさんと私がそんな話をした日から、一五年どころかわずか四年ほどでスカーフは自由になった。思ったよりだいぶ早かったとはいえ、私の予想は的中したのである。

もちろん、政府は「風紀警察」の活動を停止しただけで、公式にスカーフ自由化を宣言したわけではない。

そればかりか、デモから一年半以上を経、いくらか人々のほとぼりが冷めはじめたのをいいことに、ベール不着用の再厳罰化に向けた動きすらある。

とはいえ、スカーフをかぶらない生活に慣れてしまった今、女性たちが再び以前のような強制に従うとは考えにくく、なし崩し的な自由化の波はもはや食い止められない、というのが大方の見方である。

一方、今のところイスラム体制そのものは崩壊していない。つまり、スカーフ強制という一角だけが崩れ落ちて、体制のほうは一応持ちこたえているという状況で、これも私が当時予想した通りの結果になっている（もっともサラさん自身がそれを忘れてしまった現在、私の予言が、みんなから〝後出しジャンケン〟と思われているのは遺憾だ）。

灰の下にかくれた熾火――デモ後のイランを覆う空気

かくしてスカーフの自由化は、思いのほか早く達成されたわけだが、イラン人たちの心中は複雑だ。

おおむね三〇代以上の世代は、デモによりスカーフが自由になったことは大きな前進だったと考えている。何しろ革命以降、四〇年以上にわたり幾度となく繰り返されてきたスカーフへの抵抗が、ようやく実を結んだのだ。

かつては、バスや地下鉄の乗客、タクシーの運転手のなかにも、スカーフのかぶり方を注意してくるようなお節介な人がいたが、デモの後はほとんど姿を消した。

今そんなことをすれば、「独裁者の手先」「イラン国民の敵」とありったけの罵詈雑言を浴びせられ、その場で袋叩きにあってしまうからだ。

親でさえ自分の娘にスカーフのことで口出しするのがはばかられるようになった。「スカーフなんか、みんなしてないじゃん！」と言われてしまえば、いくら親でも二の句が継げない。

このようにスカーフの自由化は、政治的領域にとどまらず、社会や家庭のなかにも新しい風を吹き込みつつある。それは、「自分のことは自分で決める」という、自主と自立の精神でもある。

その意味では、スカーフ自由化はある種の文化的「革命」だったと言っても、あながち誇張ではないだろう。

しかし、一方で一〇代、二〇代の若者たちは、決して現状に満足していない。

彼ら彼女らは、スカーフ強制に対する抵抗の余勢を駆ってイスラム体制の本丸にまで攻め込み、カッコつきではない文字どおりの革命を起こすつもりだったのだから。

連日連夜、実弾が飛び交うなかを命もかえりみずに行進した結果がスカーフの自由化だけでは、まさに「大山鳴動して鼠一匹」。体制打倒を夢見て散っていった仲間たちに顔向けもできない。

今この世代のあいだに漂っているのは、まごうことなき敗北感であり、安全な場所で模様眺めを決め込んでいた上の世代に対する不信感である。

一定の勝利ととらえるか、敗北ととらえるか――。反体制デモの評価は、イラン人のあいだでもまだ定まっていない。

ただ、彼らがデモ後のイランについて話すとき、決まって引き合いに出すペルシア語の慣用句がひとつある。

「灰の下にかくれた熾火（おきび）」——。

うわべだけの平静は長くは続かない。人々の怒りと不満は、いつかまた燃えさかる炎となって噴き出すに違いない。それが、すべてのイラン人の共通認識である。

「二重のくびき」——ベールを強制するのは誰か

イランでベール着用が義務化されたのは、イスラム革命直後の一九八〇年のことだった。革命の指導者として、当時、絶対的な権力を握っていたホメイニはこの年、社会の「イスラム化」の一環として、公務員の女性たちにベール着用を命じる。

ベール強制が既成事実化されることを恐れた女性たちは、これに激しく抵抗した。なかには、「革命は支持したが、ホメイニがベールを強制するなら、イスラム教徒をやめたほうがマシだ」と公言する者すらいた。

しかし、ホメイニは聞く耳を持たず、ベール着用の対象者を、公務員からすべての女性へと拡大していく。

街頭では、ベール強制に抵抗する女性がこん棒で殴られて重傷を負ったり、顔に硫酸を浴

ベール着用強制により女性たちの装いは画一化された。写真は1992年。

びせられたり、拘束されて額（ひたい）に画びょうを打ち込まれたりするなど、おぞましい弾圧が行われた。

女性たちは恐怖心から、しだいにベールをまとわざるをえなくなった。

そしてついに一九八四年、議会でイスラム刑法が制定され、ベール不着用者への罰則（七四回の鞭（むち）打ち刑）が定められると、ベールなしで公共の場に出ることは、名実ともに犯罪となってしまった。

そういうわけで、誰が女性にベールを強制したのかといえば、もちろんそれはホメイニである。そして、ホメイニ亡きあとは、その腹心たちが引き継ぎ、今にいたっている。

しかし、ベールを押しつける者は、まだほかにもいる。

女性たちの家族、とくに男性親族たちである。それは、あるいは父や夫であり、あるいは兄や伯父（叔父）であるかもしれない。

この問題を、イラン人の好きなホームパーティーを例に考えてみよう。

彼らは本当にパーティーが好きだ。年率一〇〇パーセントともいわれる驚異的なインフレが、相当に家計を圧迫しているにもかかわらず、今も人によっては毎週末のように家族や親戚と盛大なパーティーを開いている。

そうした席に、たとえば私のような血縁関係のない男性が招待されるとしよう。

敬虔な地方だと、そもそも女性が男性客の前に姿を見せず、パーティーと聞いていたはずが、男だらけのむさくるしい〝寄合〟のようになることもあるが、ほとんどの地域では、パーティーといえば普通は男女混合である。

すると、たいていの女性たちはそこで一切のベールを脱ぐ。

家の中に一歩足を踏み入れると、美しい頭髪をあらわにし、かなり露出度の高い服装をした女性たちに迎えられることもしばしばだ。パーティー慣れしていなかったころの私は、目のやり場に困ったり、全身から変な汗が噴き出してきたりしたものだ。

その一方で、ほとんどの女性がベール姿のパーティーもある。

もちろん、女性たちが自発的にそうしている場合もあるだろう。だが、実は男性親族の誰かが、女性たちに対して暗にベール（とくにスカーフ）の着用を求めているケースが少なくない。

あらかじめ「今日のパーティーには（ちょっと気難しい）○○おじさんも来る」などと聞けば、女性たちはその日は渋々ベールを取ることを諦めてしまう。

そして、「おじさん」のほうはといえば、今宵もそろってベールに身を包んだ女性たちを見て、一族の貞操観念と信仰心が健全に保たれていることを神に感謝しつつ、相好を崩すというわけだ。

もちろん、ベールをまとわなかったとしても、「おじさん」が官憲のように殴りかかってくることはない。とはいえ、ちょっとした口論になったりして、パーティーの雰囲気が悪くなる可能性は十分ある。

そうなるくらいなら、気が進まなくてもベールを着ておいたほうがマシだと思ってしまうのが人情というものだろう。

だが、女性たちにとってみれば、それが自らの意思に反するという点において、このような家族からの強制も、国からの強制と本質的には何ら変わるところがない。

やや大袈裟な言い方をすれば、イラン女性はこれまで、ベールをめぐって国家と家族という「二重のくびき」に苦しんできたのである。

だが、反体制デモ後、こうした状況も確実に変わりつつある。

一〇代や二〇代の女の子たちは、最近ではもう、ベールを押しつけてくる「厄介者」が来るホームパーティーには、そもそも顔を出さなくなっているそうだ。

「そろそろ準備しなさい。ベールも忘れないでね」

「ベール？　じゃあパパとママだけで行ってきたら？」

そんな会話が、今夜もあちこちの家で交わされているのかもしれない。

オンライン授業はスカーフに短パンで

コロナの影響で、イランでは日本よりも早く、小学校から大学まで一斉休校となり、授業のオンライン化が決まった。政府の肝いりでオンライン授業用のアプリまで開発され、私もこのときばかりは「イラン政府、なかなかやるじゃないか」と感心したものである。

そんななか、女子たちのあいだで、ひとつの問題が浮上していた。ベールをどうするかである。

生徒側がカメラをオフにしてもよい場合は、もちろんベールを着用する必要はなかった。

ただ、実際には授業の質の低下を恐れた教師や学校の判断によって、顔出しでの出席が求められるケースも多かった。その場合には、実際の教室にいるのと同じことなので、本人が自宅にいても、ベールを着用しなければならないことになった。

「家のなかでもベールなんて、最悪～！」

女の子たちは、どこまでもつきまとうベールの呪縛に、うんざりしていた。

それでもまだ冬のうちはよかった。やがて春が過ぎ、夏になると、もうベールなんか暑くてたまらない。

そこで彼女たちの編み出した奇策が、「部屋着のままスカーフだけかぶる」というものであった。どのみちカメラに映るのは顔まわりだけ。映らない部分は適当でいいや、というわけである。

「部屋着＋スカーフ」という珍妙なスタイルに初めてお目にかかったのは、ある友人宅に滞在していたときだった。

彼の妹は女子高生だったが、「そろそろ授業だから」と立ち上がると、よれよれの短パンにTシャツというラフな出で立ちの上から、面倒くさそうに一枚のスカーフをかぶり、自室へ引っ込んでいったのだ。

短パンにスカーフとは、まさに「頭隠して尻隠さず！」と、思わず吹き出してしまったが、すぐに「まあそうだよなあ」と納得した。

当時、リモートワークの日本人のなかにも、上半身はスーツにネクタイ、下半身は下着一枚なんて人がいたようだが、イラン女子の発想もそれとほとんど変わらないのだった。その後、同じような格好でオンライン授業にのぞむ女の子たちの写真を、インスタグラムでも見かけるようになった。あまりに滑稽なので、家族の誰かがこっそり写真に撮って投稿していたのだろう。

オンライン授業とベールについて、もうひとつ興味深い話がある。

学校や大学の場合、例外なくカメラの前ではベールを着用しなければならなかったが、一方で学習塾や語学学校、家庭教師のような民間のオンライン授業は、そこまでベールにうるさくなかった。

となれば、大部分の女子生徒がベールなしで参加するかと思いきや、意外なことにそうでもなかったのである。

理由はいくつかある。

ひとつは、クラス内に「敬虔な」生徒がいた場合、ベールを着用していない女子は政府機関に密告される可能性があったからだ。もしそうなると、不着用だった本人だけでなく、塾や学校側もペナルティを科されてしまう。

当然、そのような事態を想定して萎縮した塾側が、はじめからベール着用を求めてくるケースもあったようだ。

また、稀（まれ）に「敬虔な」講師本人（多くは男性）が自らの意思で、画面の向こう側からベールを強制してくる場合もあったが、そういう講師はペルシア語の隠語で「ハルマザッブ」（あえて訳せば、「妄信バカ」）と呼ばれて煙たがられ、ほとんどの女子生徒から授業をボイコットされていた。

要するに、民間のオンライン授業では、塾、講師、クラスメイトの三者すべてがベールに寛容な姿勢を共有できない限り、女の子たちは安心してこれをはずせないという状況が続いていたわけだ。

コロナが落ち着いた今、オンライン授業はほとんど行われていない。

そして、反体制デモ以降は、対面授業であっても、もはやベールのためにあちこちの顔色をうかがう必要はなくなった。これまで仕方なく一枚のスカーフをかぶっていたような女子生徒たちが、それすらもかぶらない権利を堂々と主張しはじめたからである。

ベールは信仰の目安?

日本ではしばしば、スカーフ（などのベール）を自発的にかぶり、強制を苦痛に感じないイラン女性は敬虔なムスリムで、そうでない人は信仰心が希薄であるかのようにいわれている。

たしかに、全体としてはそういう傾向にある。たとえば、短パンにスカーフ姿でオンライン授業に顔を出すような少女が、真面目に礼拝などしている姿はちょっと想像できない。

ただ、ベールが常に信仰の目安となると考えるのは間違いだ。

たとえば、今ここに二人の中年の男がいるとしよう。一人は口ひげを生やし、長髪にベレー帽をかぶっている。もう一人は短髪のオールバックでひげはなく、スマートなスーツに身を包んでいる。

さて、今「どっちがプロの画家か」と聞かれたら、あなたはどちらを選ぶだろうか。

たしかに最初の男のほうは、いかにも画家っぽく見える。だが、短髪にスーツの男が上手に絵を描く可能性だって十分にある――。

結局、肝心の絵を見てみないことには何ともいえないだろう。なぜなら、ベレー帽とか口ひげというのは、画家を画家らしく見せている一種の「記号」に過ぎず、それと画才とは何の関係もないのだから。

ベールも同じである。ベールをかぶっているから信仰心が強いとは必ずしもいえないし、かぶっていなくても敬虔な人はたくさんいる。

私の友人に、レザイ夫人という美しい女性がいる。

七〇代になる彼女は、国や家族と離れて暮らす私の身をいつも案じてくれ、毎週末のように、テヘラン郊外にあるお屋敷へ私を招いてくれる。

呼び鈴を鳴らし、重々しい黒の鉄門扉が開くと、そこから邸宅のポーチまで、花々に彩られた庭をさらに三〇メートルほど歩く。玄関で出迎えてくれるのはレザイ夫人ではなく、体も声も大きなメイドのモハデセさんだ。

クリーム色のペルシア絨毯(じゅうたん)が敷きつめられた広い居間に通されると、半世紀以上のときを刻んできたであろう家具や調度品に囲まれて、静かにほほえむレザイ夫人が立っている。

その出で立ちは決まって、暗い色の膝丈のスカートに、赤や青など原色のジャケット。そして、黒く染め、後ろで束ねた夫人の艶(つや)やかな髪は、どんな来客の前であってもスカーフの下に隠れることはない。

イラン南部の古都シーラーズの名家に生まれたレザイ夫人は、ベールが自由だった王政期に青春時代を送った。「今の若い人たちは、本当にかわいそうだわ」が、彼女の口ぐせである。何しろ当時の夫人は、膝丈どころかミニスカートで外出することも普通だったとか。

今は亡きご主人と結婚したのちは、王政期の要人たちとの交友を通じて国内外のさまざまな地に足を運び、日本で暮らした経験もある。欧米滞在歴も長く、社交界で鍛えた英語力は今も健在だ（もっとも、謙虚な夫人本人は自身の話をほとんどしないので、これらはすべて彼女の家族や親戚から聞いた話だ）。

一見、ベールどころかイスラムとも無縁の人生を送ってきたかに見える、いわば「国際派セレブ」のレザイ夫人だが、じつは人一倍敬虔なムスリム女性である。

たとえば、パーティーのさなかであっても彼女だけは礼拝時刻になると必ず席をはずし、一人で寝室にこもって長い祈りをささげている。

そして、ラマダン（断食月）になれば、高齢にもかかわらず毎年断食をし、日の出から日の入りまで一切の飲食を断つ。

素晴らしいと思うのは、決してそれらを周囲に押しつけないところだ。

そのうえ、私のような他人をも家族のように愛するレザイ夫人の優しさ、その一方で見返りを求めない無欲恬淡さ、そして豊かな暮らしぶりや華々しい経歴を微塵もひけらかさない奥ゆかしさに触れるたびに私は、「真のムスリム女性、ここにあり！」と心の中で喝采を送っている。

レザイ夫人のように、生活スタイルや交友関係、そしてファッションなどにイスラム的な要素を持ち込まない一方で、完全に内面化された信仰をまもっているタイプは、王政期にエリートだった人々のなかに多い。

イスラム革命によって要職を追われ、社会の第一線から退かなければならなかった人々が、革命から四〇年あまりを経て、むしろ相対的に敬虔なムスリムとなっているのは、歴史の皮肉としか言いようがない。

一方、革命後に生まれた若い世代のなかにも、ベールは拒否するが、強い信仰心を持ち続けている女性は少なくない。

「子どものころから学校ですり込まれてきたベール着用には、本当は何の宗教的根拠もないことに気づいてしまったの」

そう語るのは、もう一人の友人エルナズさんだ。

三〇代の彼女もまた、私の前でベールをかぶることはない。反体制デモの前は、外出するときだけロングストレートの髪の上から一枚のショールを申しわけ程度にひっかけていたが、デモ以降はそれすらもはずしていることがほとんどだ。

エルナズさんは敬虔な両親のもとで育った影響から、日々の礼拝などとともに、かつては女性のベール着用も当然のこととして受け入れていたという。学校では、「スカーフから一本でも髪の毛がはみ出せば、死後にその髪の毛によって地獄で首つりにされる」と教えられ、素直な子どもだったエルナズさんは恐怖に震え上がった。

二〇代でメッカ巡礼を果たすと、彼女はますます熱心なムスリム女性となる。宗教的義務をさらに厳格に果たすとともに、服装にも一層の注意を払うようになり、髪の毛はもちろん、顔と手先以外はすべて隠れるようなベールで〝完全武装〟するようになった。

ところが、約一〇年前、第一子となる男の子を身ごもったころ、転機が訪れる。

妊娠を機に時間に余裕が生まれ、じっくりとコーランを読むことができるようになったというエルナズさん。まっさらな気持ちで「神の言葉」と向き合ううちに、子供のころから信じ込まされてきたベールに疑問を抱きはじめたのだ。

一般的にベールの根拠は、コーラン二四章三一節「かの女らの視線を低くし、貞淑を守れ。外に表れるものの外は、かの女らの美（や飾り）を目立たせてはならない」などに求められるとされる。

しかしエルナズさんは、ベールで女性が何を隠さなければならないのかについて、コーランには具体的な記述がないことに気づいた。

「コーランで強調されているのは、男性も女性も、互いを性的に誘惑するなってことだけなの。つまり、『心のベール』をかぶりなさいってこと」

こうしてベールの本質を理解したエルナズさんは、スカーフなど「体のベール」をまといながら生きることをやめた。

その一方で、礼拝や断食などは今も変わることなく続けており、それが生活全般に精神的な充実をもたらしていると彼女は言う。

出世したけりゃチャドルをかぶれ！

そうかと思えば、ちゃんとベールをかぶっているわりには、信仰心がともなっていないような女性もいる。先ほどの画家のたとえでいえば、「画家の格好をしているだけで本当は絵が描けないタイプ」である。

イランの女性は、小学校からベールを制服として強制される。

丈の長いコートに、マグナエ（頭から通して顔だけがのぞくタイプのスカーフ）をして、無邪気に走り回っている小さな女の子たちの姿は実に愛らしいが、やはりどこかかわいそうでもある。

学校でベールをしっかりとかぶらないと、成績に響く。イランの通知表にも日本と同様、「生活態度」の項目があるが、女子の場合、その評価を大きく左右するのがベールの着用状況だからだ。

小中学校ではそれほど問題にならないが、高校の通知表で生活態度の評価が低いと、大学への進学にも影響する。

そのため、イランの女子高生たちは、どんなに鬱陶しく感じてもベールだけはきっちりかぶる。

だが、そうなると当然、ベールは信仰心から切り離されて、単なる「踏み絵」のような性格を帯びてくる。つまり、「評価を落としたくないから、とりあえずかぶっておこう」という安直な発想だ。

そればかりではない。生徒によってはこれを逆手にとって、これ見よがしに学校で礼拝に励んだりする。

礼拝室には先生がいて、礼拝をすると「礼拝カード」にスタンプを押してくれる。スタンプがたまると表彰されたり、景品がもらえたりして、それももちろん生活態度の評価に反映される仕組みだ。

困ったことに、このようにベールと礼拝で点稼ぎすることを覚えた少女たちのなかには、大学に入り、社会人になっても、その悪癖の抜けない者がいる。

今イランの企業がいちばん警戒しているのは、そのような似非ムスリム女性が自分の会社に入ってくることだ。

こういう女性は、たいてい黒いチャドルで身を固めている。

チャドルというのは、一枚につなげた布で全身をすっぽりと覆うタイプのベールのことで、かぶると映画『千と千尋の神隠し』のカオナシみたいになる、あれだ。イスラム体制下のイランでは女性の正装とされている。

チャドルに身を包んだ女性は、出世のために職場でも礼拝や断食を欠かすことはない。上司の気を引くために高価なプレゼントをしたり、巧みな計略によって優秀な同僚を貶めたりすることもある。

もちろん上司は彼女を無視して、本当に能力のある従業員だけを出世させることもできる。しかし、その場合には重い代償を覚悟しなければならない。なぜなら、彼女が腹いせのために難癖をつけて、会社を当局に訴え出ても、文句は言えないからだ。

「そんなバカな」と思うかもしれないが、ここはイスラム共和国である。「女性社員たちがスカーフをかぶっていない」、「幹部たちが礼拝や断食をしていない」といった告発があれば、すぐさま役人が飛んできて、最悪の場合には会社ごと取り潰されてしまうのだ。

このように腹いせをするチャドル女性が、その後どうなるかまで私は知らないが、おそらく別の会社に移ってまた同じことをやるか、告発したことが評価されて、どこか政府系の機関にでも引き立ててもらうのだろう。

いずれにしても、彼女たちにとってチャドルはもちろん、礼拝も断食もすべて出世のための道具にすぎない。自分がただ出世するだけならまだしも、こういう女性たちは善良な経営者や従業員を翻弄し、ときに彼らの人生までも狂わせてしまうのだから厄介だ。

その意味では、チャドル女性のやっていることは、日本のヤクザと大して変わらない。チャドルは、ちょうどヤクザの入れ墨のようなものだ。見せつけて「堅気の者」を怖気づかせるのである。

もちろん、チャドル女性のすべてがヤクザまがいの行為をはたらいているわけではない。むしろ全体として見れば、純粋に信仰心からチャドルをまとっている人のほうが多いだろう。

だが、普通のイラン人がチャドル女性に遭遇すると、まず何よりも警戒心が先に立つ。少なくともこれは事実だ。そして、「君子、危うきに近寄らず」で、彼女たちとはなるべく関わりをもたないようにする。

しかし、幸か不幸か、私はイラン人でもなければ君子でもなかった。

以下に述べるのは、そんな私がわざわざ危うきに近寄って見てきた、チャドル女性の知られざる〝生態〟である。

欺瞞の象徴と化したチャドル

彼女の名前は、アクラムという。

五〇代前半だった彼女とは仕事を通じて知り合った。

アクラムは最高指導者ハメネイの直属機関、「イスラム宣伝局」の職員だった。ここは、イスラム革命のプロパガンダを担う、いわば体制イデオロギーの総本山である。

それだけでも十分すぎるほど迫力ある肩書きなのだが、さらに彼女はバシージ（民兵）のメンバーでもあった。

このバシージというのは、諜報や密告、そしてデモの弾圧などを主な任務とする組織で、今回の反体制デモでも、参加者の多くがこのバシージによって暴行を受けたり、殺害されたりした。

そういってよければ、バシージはイスラム共和国の〝お抱えテロリスト集団〟である。

そんな、泣く子も黙るゴリゴリの体制派アクラムの出で立ちは、もちろん真っ黒なチャドルであった。

そして、そのチャドルの奥では、あたかも全世界が彼女の敵であるかのように敵愾心に満ち満ちた二つの眼が、常に鈍い光を放っていた。

ところが、そんなアクラムが自宅ではどうかといえば、私のような部外者がいようとチャドルはおろかスカーフすらしないのだ。

しかも、その髪はけばけばしいブロンドに染められ、上半身は胸元ののぞくノースリーブ、下半身はたるんだ肉の質感までわかるピチピチのタイツという、もうどうしようもなく下品な格好である。

表情もすっかり崩れて、あの凄みのある眼つきもどこへやら。

外国人相手という気安さもあったのだろう、彼女は持ち前のハスキー・ボイスで、ずいぶん余計なことまで口走っていた。

「あたいンちは電気代なんか払ったことないよ。コネでメーターを止めてもらってるからね。ギャハハハハ」

「あんた、酒が欲しかったら言いな。ここにはないけど、あたいのコネで一番上等なのを用意してやるよ。ウオッカがいいか？　それともウイスキーか？　ガッハッハ」

リビングのテレビからは、イランで禁止されているはずの衛星放送が流れていた。そこに時々、ホメイニとかハメネイの顔が映るとアクラムは黙ってはいない。

「引っ込め、このデクノボー！」

念のため繰り返すが、彼女はイスラム宣伝局の職員にして、バシージである。

これがもし、体制と関わりのない普通のイラン人なら、一向にかまわないのだ。後述するように、飲酒が禁止されているイランでも、こっそり酒を売買する人は少なくない。ホメイニやハメネイにいたっては、ほとんど罵倒されるためにこの国に存在しているかのごときである。

だが、アクラムは体制に仕え、その恩恵にあずかっている立場の人間だ。それが、一般国民と同じように法の目をかいくぐったり、ましてやそのために自分の立場を利用したりするならば、それは矛盾というレベルを通り越して、もはや欺瞞以外の何ものでもない。

私はさらにアクラムの本性を暴くべく、話の流れで核心的な質問を投げかけてみた。

「ところで、イランで他人とお金のトラブルになったときには、どうしたらいいでしょうかねえ？」

するとと、彼女は得意げにこう言い放った。


すると、彼女は得意げにこう言い放った。

「そういうときはチャドルを着て押しかけるのさ。これは効くよ。あんたにも見せてやりたいくらいだね。イヒヒヒヒ」

予想どおりの答えだった。何のことはない。アクラムは名実ともに「イスラム・ヤクザ」であることを自ら認めたのだ。

私はもともと彼女の顔も、声も、話し方も（とくに笑い方！）、生理的に好きになれなかったが、それはまあこの際どうでもよい。

それよりも嫌悪感を催させたのは、チャドルを利用してイスラム共和国に巣食っている、寄生虫のような彼女の生き方であった。

この出来事をイラン人の友人たちに話しても、まったく驚いてもらえない。そりゃそうだろう。何しろ、同じように欺瞞にみちた「ヤクザ」たちを、彼らは今までたくさん見てきたのだから。

そして、今イラン人女性たちがスカーフを脱ぎはじめた理由も、まさにここにある。

反体制デモのころ、スカーフを火にくべて、歓喜する女性たちの姿があった。あのとき燃えさかる炎を見つめていた彼女たちの脳裏には、スカーフなどのベールを利用して自分たちを食いものにし、のし上がっていった同僚や隣人の顔がひとつ、二つ、去来していたに違いないと私は思う。

かつて敬虔と貞節の象徴と呼ばれたベール。四〇年あまりにわたる強制の結果、それは今や欺瞞とおべっかの象徴へと成り下がり、ついに脱ぎ捨てられることになったのである。

イスラム共和国を支持しているのは誰か

アクラムのような「イスラム・ヤクザ」たちの存在は、イスラム共和国という現在のイランの体制を考えるうえできわめて示唆的だ。

日本のメディアでは、最高指導者ハメネイに近く、イスラム体制をがっちり支えているような人々はひとくくりに「保守派」と呼ばれる。

おそらく多くの日本人は、イランの「保守派」といえば、政治的に体制に忠実であることはもちろん、宗教的にも敬虔なムスリムであるに違いないと思っているはずだ。

だが、この認識は正しくない。

アクラムの例からもわかるように、イスラム体制を支えている人間が、例外なく体制に忠実で、なおかつ敬虔であるとは限らないからだ。

これは、ある意味当たり前のことなのだが、わかりやすいように日本の場合を例に考えてみよう。

たとえば今ここに、ある建設会社の社長がいたとする。彼は自民党員で、選挙のときは言うに及ばず、日頃から自民党のために汗をかいている。

その理由はもちろん、同党所属の議員たちが地元に様々な公共事業を誘致してくれるからだ。

この社長は、与党である自民党の固定支持層であるという意味では、たしかに「体制寄り」である。

だが、そんな彼も、自民党が党是としている憲法改正や、最近施行されたインボイス制度には全面的に賛成しているわけではないという。ましてや昨今の裏金問題に関しては怒り心頭、はらわたの煮えくり返る思いだそうだ。

それでも、自民党が仕事をもってきてくれる限り、彼は党員であり続ける。そうすれば会社の利益は増えるし、自分と従業員の生活は安泰だからだ。

実はイランのイスラム体制と「保守派」の関係についても、似たようなことが言える。

たしかに「保守派」たちは、信仰という仮面をかぶり、ゆすりたかりによって罪なきイラン人の暮らしを苛んでいるという点で、そのへんの自民党員よりずっとタチが悪い。だが、どちらも〝おまんまを食わせてもらう〟ために体制に依存しているという点において、さしたる違いはないのだ。

このような状況をより正確に理解するために、左図を見ていただきたい。

私はこの図をひらめいたとき、我ながら秀逸だと思い、イラン人の友人たちにも見せて回ったのだが、幸いその全員から「まったくこのとおり」とお墨付きをもらうことができた。これは、そういう図である。

図の横軸は「宗教性」を表している。信仰心と言いかえてもいいだろう。右へ行くほど敬虔なムスリムということになる。

一方、縦軸は「政治性」だ。当然ながら、上へ向かうに従ってイスラム共和国や最高指導者を強く支持していることを意味する。なお、便宜上、図全体を破線で四等分したが、それぞれのゾーンの面積や形状は実際の構成比率とは関係がない。

たとえば①に位置する人たちは、敬虔で、かつイスラム体制の支持者でもある。一九七九年のイスラム革命当時、大多数のイラン人はここに属していた。

ところが革命後、ベールの強制、激しい言論弾圧、そしてイラン・イラク戦争（一九八〇―一九八八）や経済の低迷などを経験したことで、イラン人の大勢は②へ移行することにな

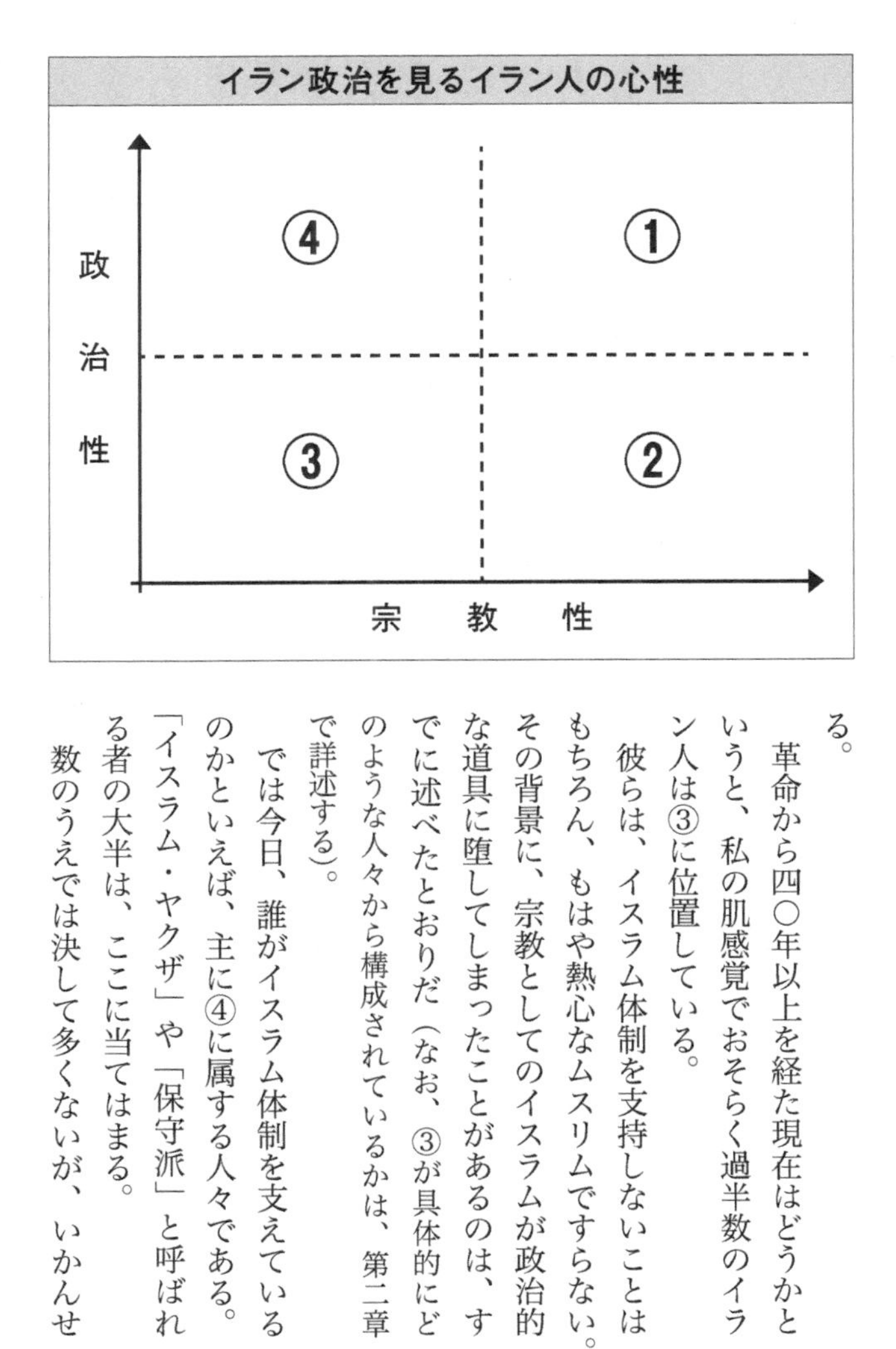

る。

革命から四〇年以上を経た現在はどうかというと、私の肌感覚でおそらく過半数のイラン人は③に位置している。

彼らは、イスラム体制を支持しないことはもちろん、もはや熱心なムスリムですらない。その背景に、宗教としてのイスラムが政治的な道具に堕してしまったことがあるのは、すでに述べたとおりだ（なお、③が具体的にどのような人々から構成されているかは、第二章で詳述する）。

では今日、誰がイスラム体制を支えているのかといえば、主に④に属する人々である。「イスラム・ヤクザ」や「保守派」と呼ばれる者の大半は、ここに当てはまる。

数のうえでは決して多くないが、いかんせ

ん生活がかかっているため、彼らは大した信仰心もないくせに、いついかなる場合も全力でイスラム体制を支えようとする。この連中による死に物狂いのバックアップがあるからこそ、大規模な反体制デモが起きても、イランの体制は簡単には崩壊しないのである。

ちなみに、①もたしかに「保守派」だが、昨今、本当に敬虔な人たちの多くはイスラム体制に背を向けている。スカーフをかぶらないレザイ夫人やエルナズさんの例がその典型だ。したがって、今や①に属するイラン人の割合はきわめて低いと断言してよい。

あえて全イラン人をこの図のなかに当てはめてみるならば、いちばん多いのが③で、続いて②、その次が④で、いちばん少ないのが①という順番になるだろう。

読者のみなさんには、是非ともこの図を頭に入れておいていただきたい。

そうすれば、「イラン人はムスリムなのに、どうしてイスラム体制に反発しているのか」といった疑問は生まれないし、今後のイラン政治の行方を正しく占うこともできると思うからだ。

第二章　イスラム体制下で進む「イスラム疲れ」

――キリスト教、神秘主義、古代礼賛

〝イスラムごっこ〟――地に堕ちた革命の理想

イラン・イスラム共和国は、政教一致の国と言われている。

ホメイニは、イスラム法学者たちが直接政治に関わるべきだと説いた。イスラムに精通している彼らこそ、神の命じるとおりに国を動かし、この世に理想郷を築くことができるのだ、と。

この「法学者による統治論」を形にすることによって生まれたイスラム共和国は、今も自らを「神意に基づく永久不滅の体制」と呼び、軽くこの先千年くらいはイランを支配し続けるつもりでいる。

だが、「理想郷」の実情は惨憺たるものだ。はっきり言って千年はおろか、十年先すら危うい。

いちばん深刻なのは、経済だ。

そもそも、どんなに抑圧的な体制でも、経済さえうまく回っているうちは、国民は多少の政治的な不自由は我慢できるものだ。しかし、イランの場合は、政治のみならず経済まで混乱を極めている。

二〇一八年にアメリカのトランプ政権が一方的に核合意から離脱したことで、対イラン経済制裁が復活、イランは日本を含めた原油の主要輸出先を失った。

これにより政府の歳入は激減し、通貨リヤルはこの五年ほどのあいだに、対ドルで一〇分の一近く価値を落とし、下落に歯止めがかからない。

国内ではハイパーインフレが進行、食料品や日用品の価格は一年間で三倍くらいのペースで上がり続けている。今年、一本二〇〇円の牛乳が、来年の今ごろは六〇〇円、再来年は一八〇〇円に、と想像すればこのインフレの凄まじさが分かると思う。

一方、給料のほうはなかなか上がってこないために購買力は低下、これまで社会の大部分を占めていた中流階級が急速に没落し、今や国民の七割が貧困層に転落したとするデータもある。

かつては年に一、二回、海外旅行に出かけていたような人たちが、最近では日に三度の食事を一度や二度に切り詰めたり、肉や魚を控えたりしている有り様だ。

人々が文字どおり明日のパンにもこと欠くなか、法学者たちはといえば、大真面目にこれを「神の与えたもうた試練」などとのたまい、国民に忍従を強いるばかりで何ら有効な手立てを講じようとしない。

法学者の無能ぶりに耐えかねた国民は、選挙によって自分たちの声を政治に届けようとしてきたが、そこに立ちはだかったのが最高指導者ハメネイの独裁である。

この男は八〇歳をとうに過ぎ、そろそろ老境の悟りでも開くころかと思ったら、とんでもない。反対に、一層かくしゃくとして権力集中に邁進（まいしん）、露骨な選挙干渉によって自らの周囲をすべて身内で固めてしまった。

議会も大統領もハメネイの走狗（そうく）と化した今、国民にとって民意を表明できる場所は、もはや街頭しか残されていない。

だが、反体制デモが起きるたびに、ハメネイはそれを「イスラムの敵による陰謀」と切り捨て、武力で弾圧するばかりで、対話に応じる姿勢を一切見せていない。

今や「法学者による統治」が、完全に破綻（はたん）しているのは誰の目にも明らかだ。なぜなら、その実態は「能力は皆無だが、権力欲だけは人一倍強い人間による統治」でしかないのだから。

そこではイスラムが、社会正義の実現のために生かされないばかりか、「神の与えたもうた試練」（失笑）、「イスラムの敵による陰謀」（笑止！）などという言葉によって、もっぱら不都合な現実を正当化し、政治責任を回避する口実として使われている。

このように、イスラムの理念が中身をともなった政策と結びつかず、都合のよい単なるお題目として重宝がられている状況を、私は〝イスラムごっこ〟と呼んでいる。

ちょうど小さな子どもが、実際にはありもしない店先に立ち、がらくたを並べて「お店屋さんごっこ」に興じるのと同じように、イランの法学者たちもイスラムを適当に振りかざして政教一致を実現した気になっているのである。

政教一致を批判する小学生

イランで初対面の人に会うと、必ず「イランはどうですか？」と聞かれる。まあ、どこの国でもそうだろう。

イランがほかの国と違うのは、そのあとだ。

社交辞令だと思って「とてもいい国ですね」などと返そうものなら、イラン人たちはたちまち眉間（みけん）にシワを寄せて、こちらに詰め寄ってくる。

「どこがいい国なんですか⁉　お世辞なんか聞きたくありません！」

そう、彼らは外国人に自分たちの国を「ひどい国だ」と言ってほしくて、この質問を投げかけているのである。そう言ってもらわなければ、日頃の苦労が報われないからだ。

あるとき、私は道で一〇歳くらいの男の子に話しかけられた。つぶらな瞳（ひとみ）で「イランはどう？」と聞く。

模範解答どおり「ひどい国だ」と答えると、男の子はまるで出来のいい生徒を前にした教師のような表情で深くうなずくと、次の質問に入った。

「じゃ、どこがひどいか知ってる？」

うーん、どこと言われると、なかなか難しいなあ。

政治、経済、教育、文化…。この国には問題がありすぎて、どれから挙げたものか、見当がつかない。

答えあぐねていると、男の子がさらりと言ってのけた。

「政教一致だよ」

なんということだろう！　小学生の口から政教一致なんて言葉が出てくるとは。

だが、言われてみればまさにその通りなのだ。実際、今や大多数のイラン人が政教一致こそこの国の諸悪の根源であると考えている。

男の子も、両親か誰かが政教一致を批判するのを小耳にはさんで、私の前で受け売りしたに違いなかった。

ところで、政教一致と聞いても、日本人には今ひとつピンとこないかもしれない。なんとなく「問題がありそうだ」ということは分かっても、じゃあ具体的に何が問題なのかと言われるとよくわからないのではないか。

イラン人たちが考える政教一致の弊害は主に二つある。

ひとつ目は、「政治の独裁化」だ。イスラム共和国のイランには、保守派、穏健派、改革派という三つの勢力が存在し、どの勢力も「自分たちこそが正しいイスラムである」ことをアピールしてきた。

しかし、ここで問題が生じる。「正しいイスラム」とは、いったい何か。言いかえれば、ある政策が宗教的に正しいかどうかを、誰がどうやって決めるのか。

「国民や議員の投票で決めればいいじゃないか」と思うかもしれないが、そうした場で決まるのはあくまでも政治的な正しさであって、宗教的な正しさではない。

個々の政策についての宗教的な正しさは、結局のところ宗教の専門家に決めてもらうしかない。つまりイスラム法学者だ。こうして法学者たちには、国民やその代表である議員たちにすらない「特権」を手にする道が開かれる。

そして、その法学者にもランクがある以上、必然的に最上位の法学者、すなわち最高指導者に、あらゆる政策の最終的な決定権が委ねられることになる。ハメネイの独裁には、このような構造的な問題もあるわけだ。

政教分離の国でも独裁におちいる可能性はあるが、政教一致の場合は、むしろ独裁によってしか機能しない仕組みになっているといってよい。

さらに恐ろしいのは、独裁者となった最高指導者への異議申し立ては、「正しいイスラム」に反旗をひるがえすことに等しいので、これに対する弾圧が神の名によって正当化され、熾烈をきわめることだ。

独裁者が神を後ろ盾に権力をほしいままにする一方、国民は「神の敵」となる恐怖心から政策決定への絶対服従を強いられる——。イラン人が、イスラム体制を「最悪の独裁」と呼ぶ理由はここにある。

政教一致の二つ目の弊害、それは「宗教の弱体化」である。

政治と宗教が一体化すると、宗教はむしろ隆盛をきわめるように思われるが、実際はその逆だ。

たとえば、今ここにハメネイの政策に反発する者がいたとしよう。すでに述べたように、それが純粋に政治的な理由であっても、彼の主張は神の名によって圧殺される。

これが何度も繰り返されるうちに、「自分を受け入れてくれないこの神、この宗教（イスラム）とは、いったい何なのだ？」と感じる人たちが、徐々に増えてくる。つまり、政治に対する不信感が、宗教にも向き始めてしまうのだ。

それでも、結果として国が発展し、国民が豊かな暮らしを送れているうちは問題ない。

しかし、そうでない場合には、宗教にとって恐るべき悪夢が待ち受けている。そのとき国民は思うだろう。「イスラムを掲げているのに、ちっとも国がよくならない。これはきっとイスラムそのものに問題があるからだ」と。

つまり、政教一致の国では、政治と一心同体である宗教も常に毀誉褒貶にさらされるため、政治が信用を失えば、宗教の権威も失墜してしまうのだ。

政教一致による、「政治の独裁化」と「宗教の弱体化」。

皮肉なことに、そのどちらも現在のイランでは現実のものとなっている。

「コーランは神の言葉にあらず」――イスラムを棄てる若者たち

独裁に関しては第六章で詳しく述べるので、ここではイスラムが求心力を失いつつある現状について見てみよう。

私の肌感覚では、一〇年くらい前までは、ほとんどのイラン人がムスリムとしてのアイデンティティを、多かれ少なかれもっていたように思う。

もちろん今でもそうした人たちは一定数いるものの、近年、とくに目立つのは、イスラムを世界に数多ある宗教のひとつとして相対的にとらえようとする若者たちの存在だ。

イスラムでは、ムスリムの子は生まれながらにしてムスリムであり、棄教が明るみに出れば文字どおり死罪とされるため、簡単にムスリムをやめることはできない。

だが、若い世代に共通するのは、「自分はたまたまムスリムに生まれただけだ。大事なのは人間性であって、宗教ではない」という考え方である。そんな彼らにとって、イスラムはもはや自己のアイデンティティではなくなっている。

さらに、私の友人たちのなかには、「自分はもうムスリムをやめた」とこっそり打ち明けてくれた人も少なくない。

三〇代のタハ君は、そんな友人の一人である。

大学生のころまで、彼はかなりストイックなムスリムだった。礼拝や断食を欠かすことはなく、一滴の酒も飲んだことはなかった。そして、神の言葉であるコーランこそが、人や社会、そして国家を正しく導く指針であると信じて疑わなかった。

その信念が大きく揺らぐことになったのは、大学卒業後、英国へ語学留学したときだったという。

初めて非イスラムの国を目の当たりにしたタハ君は衝撃を受ける。

町では治安と秩序がイランよりもはるかによく保たれていた。何よりも驚いたのは、そこに暮らす人々の民度の高さだった。英国人は、ムスリムであるイラン人よりもずっと誠実で、信頼でき、そして勤勉だったとタハ君は言う。

社会の隅々までイスラム化することを目指しながらも停滞するイランと、イスラムはもちろん、一切の宗教に頼ることなく繁栄を謳歌する英国――。

「イスラムは、何か間違っているんじゃないか」。そう自問せざるをえなかったタハ君は、現地でキリスト教会の門を叩いたこともあったが、結局、それにも馴染むことができぬまま留学の期間を終え、帰国の途につく。

イスラムに対する彼の漠然とした疑念はしかし、のちにテヘランで一人の女性と恋に落ちたことで確信へと変わっていく。

コーランでは、女性の価値は男性の半分と明確に規定されており、男性に従わない女性は殴ってもよいとする記述すらある。

だが、タハ君の彼女は、彼自身が恐れ入るほど聡明で忍耐力があり、自分の半分どころか、その何倍もの価値があるように思えたという。

「コーランは神の言葉じゃない。そのときそう確信したんだ。もし、それが神の言葉なら、現代にも通用する真理を語っていなければならないだろう?

現代は男女平等で、男性よりも優れた女性だってたくさんいるのに、コーランでは一貫して男尊女卑が説かれている。それはこの本が、未来を予見できなかった昔の人間の手によって書かれたものであることの、何よりの証拠だと思うんだ」

なるほど。でも、はっきり言って、それってムスリムでない日本人なら最初からうすうす感じていることなんだよなあ。

私が率直にそう言うと、彼は大きな目をぱちくりさせていた。

しかし、一人のムスリムが「コーランは神の言葉にあらず」という結論に達するまでには、われわれが想像する以上の時間と葛藤、そして勇気が必要なのだ。彼の表情はそのことを物語っていた。

タハ君は、今ではもうコーランを開くことはないし、礼拝や断食をすることもない。週末の彼のルーティンは、私のような友人を招いてワインやビールを飲み交わすことだ。

「宗教がなくても、僕たち一人ひとりが人間性を身につけて、清く正しく生きる努力を続けていけば、世の中はきっとよくなる。宗教側は、それじゃカネにならないから、絶対にそんなこと言わないけどね(笑)」

そう語るタハ君に、私はもうひとつ気になっていた質問をぶつけてみる。それは、彼が神の存在を今も信じているかどうか、ということだ。彼は言う。

「もし神がいるとしたら、それは人間の心のなかにいるんじゃないかな。理性と感情の総体というか…。良心と言いかえてもいいかもしれない。いずれにしても、遠い宇宙の彼方から、僕たちにあれこれ命令してくるアッラーなんて神は存在しないよ」

そんなタハ君が、自宅のマンションで愛する彼女との同棲生活を始めて、もう一〇年になる。その暮らしを間近に見てきた私には、二人の関係が長続きする理由がよく分かる。タハ君の優しさや気遣いもさることながら、いちばんの理由はズバリ、彼が料理以外の家事をすべてこなしていることだろう。

同棲というライフスタイルも、女性のために尽くす男性像も、イスラムの価値観とは相容れない。むしろタハ君たちの生き方は、日本や欧米の若いカップルのそれと重なる。

イスラムを棄て、大切なパートナーを得たタハ君。新しい価値観のもとで営まれる二人の暮らしは、これからも試行錯誤を重ねながら続いてゆくに違いない。

イスラムは人間の心と向き合ってきたか

一方、イスラムのより本質的な「欠陥」を指摘するのは、同じく三〇代の友人レイラさんだ。

彼女の一族は、近現代イランの著名な政治家や文化人を多く輩出してきた名家である。レイラさん自身も、豊富な知識と鋭い洞察力をあわせ持った才女で、私がイランで彼女から学んだことは数知れない。

そんなレイラさんも、二〇代のころまでは、なかなか自分に自信を持つことができずにいたという。

学校では、常に同級生との競争にさらされ、家に帰ってからも、親戚やほかの家庭の子どもたちと比較された。

大学生になり、SNSが流行しはじめると、「競争と比較の原理」はレイラさんをさらに苦しめることになった。

と、このように書くと、「そんなの日本でもよくある話じゃん」と思われるかもしれない。確かにそのとおりである。

しかし、実はイラン人の〝リア充アピール〟は日本人の比ではない。

現代のイラン社会で人物を評価する基準は、子どもならば学校の成績と習い事。大人になれば、学歴、収入、家、車、そして容姿と、相場が決まっている。SNSは、イラン人にとってそれらを見せびらかすための格好の場なのだ。

そんな社会では「目に見えるもの」がすべてなので、じわじわとにじみ出る人徳とか、ちよっとはみ出した個性なんかは、どうでもよいことだ。

そして、「嫉妬心から対抗意識を燃やすこと」を意味するペルシア語「チェシモ・ハム・チェシミー」ほど、イラン人の日常でよく使われる言葉はない。

個人的には、この言葉こそイラン社会を理解するためのキーワードだと思っているくらいだが、これについては第五章で詳述する。

話を元に戻そう。

「競争と比較の原理」とリア充アピールに嫌気が差していたレイラさん。あるとき彼女は考えた。「どうして私たちの社会は、人間の内面を評価しないのだろう？」と。

そこでレイラさんがたどり着いたひとつの結論が、イスラムであった。

「イスラムという宗教は、人間の内面よりも外面に重きを置いていると思うの。このイラン社会と同じようにね」

イスラムが外面を重視するとは、彼女によれば次のようなことだ。

そもそもイスラムは、信者の心の在りようのみならず、その日常生活における行為をも細部にわたって規定する宗教である。

曰く、礼拝をしなさい。断食をしなさい。ベールをかぶり、喜捨をし、メッカ巡礼に行きなさい——。

曰く、酒は飲むな、豚は食べるな、博打も、不倫も、利子もダメ——。

信者はそれらを守ろうと努力することになるが、それはややもすれば「守ってさえいればよい」という態度にもつながる。

そして、ちょうど現代のスカーフがその最たる例であるように、信仰心という内面よりも、とりあえず外面、つまり体裁を整えることが優先される風潮を生んでしまう、とレイラさんは言う。

当然そこでは、体裁を整えた者が、体裁を整えていない者よりも優位に立つ。まさにあの「イスラム・ヤクザ」アクラムのごとくである。

あるいは、何度もメッカ巡礼に行ったお金持ちは、お金がなくて一度もメッカに行ったことがない貧乏人よりも偉いことになる。たとえ後者のほうが信仰心においてまさっていても、である。

信者の生活を拘束するイスラムは、そこからさらに共同体や国家のルール、すなわち法体系をも発展させることになった。

イスラム法学には、コーランの言語であるアラビア語の能力が必須である。そのため、アラビア語ができる者は、できない者よりも優位に立つことになり、ここでもまた序列が生まれてしまう。

レイラさんは言う。

「結局ね、イスラムが私たちの一挙手一投足にまで口を出す宗教として成立したこと。それが、そもそもの過ちだったのよ。もしこの宗教が人間の心だけを問題にしていれば、今のように内面が軽視され、外面だけで人間が序列化されるような世の中にはなっていなかったと思うの」

とくに、イスラムの内面軽視の傾向は、その「天国」の解釈に顕著であると、レイラさんは考えている。イスラムでは、天国には酒の流れる川があり、美しい処女たちがはべっているとされる。

「天国でお酒を飲んだり、かわいい女の子とセックスしたりできるから、現世ではそれらを我慢しろってわけ？　そんな下心をもって生きることを認めちゃってる宗教に、人間の内面を高めることなんてできっこないわ」

いかがだろうか。

もちろん、イラン社会の問題をすべてイスラムのせいにすることはできないはずだ。

なぜなら、内面がなおざりにされる軽薄な風潮は、多かれ少なかれ全世界で進行しているし、右へならえ式の画一的な価値観に基づいた競争と序列化も、つい数十年前までこの日本ですら当たり前だったのだから。

しかし、そうしたことを考慮に入れても、私はレイラさんの指摘は傾聴に値すると思っている。少なくとも、一人のムスリムとして生まれた女性がイスラムに見切りをつけるまでの思索の軌跡として、それは興味深いものではないだろうか。

「隠れキリシタン」として生きる

タハ君やレイラさんはイスラムを離れ、事実上、すでに棄教しているとはいうものの、特定の宗教に改宗したわけではない。

だが、私のまわりには棄教から一歩進んで、改宗を果たした友人もいる。その一人が四〇代の女性、ヤスミンさんだ。

ヤスミンさんの自宅を訪ねると、ときどき真剣な表情でスマホを握り、一時間くらい何かを聴いていることがある。彼女は常にイヤホンをしているので、こちらには何も聞こえない。

それがキリスト教の講話であることを知ったのは、それから半年くらい経ってからである。

とはいえ、そのときは、「知識欲の旺盛(おうせい)な彼女のことだから、そんなことにも関心があるんだな」くらいの認識で、特段、気にも留めていなかった。

ところが、さらに月日が流れ、お互いの信頼関係も深まりつつあったある日、私は突然、ヤスミンさんからカトリックのキリスト教徒であることを打ち明けられた。

「耳を疑う」とは、このことかと思った。驚きのあまり私は事情が飲み込めず、「それ、マジで言ってる？」と、くどいほど何度も聞き返してしまったのを覚えている。

棄教や改宗をした元ムスリムのことを、「モルタッド」という。イランでこのレッテルを貼られたら最後、当局によって裁判にかけられ、多くの場合は死刑を覚悟しなければならない。

だから、普通は改宗したことを誰かに打ち明けることはないし、戸籍の「宗教欄」ももちろんイスラムのままだ。命がけで信仰をひた隠して生きるヤスミンさんは、まさに現代の「隠れキリシタン」といってよいだろう。

彼女もまたイスラムが説くベールや男尊女卑、そして他宗教を見下すような姿勢に激しい嫌悪感を抱いている。キリスト教に新たな信仰を見出したのは、万人を包み込む深い「愛」をそこに感じ取ったからだと彼女は言う。

「サトシ、悩むことなんかないわ。イエス様のことを強く心に念じるの。そうすれば、イエス様は無宗教のあなたのことも、きっと愛してくださるはずよ」

私に何か不安なことがあると、ヤスミンさんは必ずそんな言葉をかけてくれる。

私のほうはといえばいつも半信半疑、寝そべって肘枕をしながら彼女の話を聞いているせいか、今のところイエス様の愛らしきものは感じられずにいる。

でも、それでいいのだ。ヤスミンさんが常にこうして身近な話し相手でいてくれるだけで、私の心はだいぶ軽くなるのだから。

そんなヤスミンさんに連れられて、ある晩、私は隠れキリシタンの密会に参加する機会を得た。といっても、参加者はヤスミンさんと、彼女が「姉妹」と慕う、もう一人の隠れキリシタン女性の二人だけだ。

密会はこの女性の自宅マンションで行われた。テヘラン北部の高級住宅街にあるそのマンションに、彼女は娘さんと二人だけで暮らしていた。ご主人と離婚したらしいという話は、前もってヤスミンさんから聞かされていた。

実はヤスミンさんにも離婚歴があり、二人はそのあたりでも通い合うものがあったに違いない。イスラムでは、離婚についても女性の立場は圧倒的に不利で、国会で法改正がなされたとはいえ、いまだに男性側が有利であることに変わりはない。

さすがに離婚と彼女自身のキリスト教への改宗が関係あるのかどうか、根掘り葉掘りヤスミンさんに聞いてみる気はないが、大いにありうることだろう。

さて、二人の「姉妹」は、にこやかにあいさつを交わし、ソファに腰かけると、早速、胸の前で手を合わせ、ペルシア語で祈りの言葉を唱え始めた。

「天におられる私たちの父よ、み名が聖とされますように。み国が来ますように。みこころが天に行われるとおり、地にも行われますように……。アーメン」

祈りによって、何かその場の空気が清められたように感じる。二人はその後、お互いの近況などを報告し合い、要所要所で「主のご慈悲あれ」とか「お救いあれ」とか相槌を打ちながら、和やかに歓談を続けていた。

その様子を傍らで見ていた私は思った。「ああ、ここは教会なんだな」と。

隠れキリシタンは、もちろん街なかの教会に通うことなんかできない。神父と会って話をする機会もない。

だが、彼ら彼女らは、普通のキリスト教徒以上に信徒同士のつながりを必要としている。こうして直接顔を合わせ、言葉を交わすことによってこそ、日頃の恐怖心を和らげ、団結を確認し合うことができるからだ。

その晩、振舞われたご馳走をいただくと、あとはもうイランのパーティーお決まりの流れで、大音量の音楽とともにダンスタイムが始まった。

教会から一気に〝クラブ〟へと早変わりした空間で、私たちは日付が変わるころまで踊り続けたのだった。

神秘主義に救いを求める人々

タハ君やレイラさん、そしてヤスミンさんのようにイスラムを離れる人たちが増えるにつれて、イラン人のあいだで新たな心のよりどころとして脚光を浴びているものがある。神秘主義(エルファーン)だ。

といっても、それ自体は決して新しいものではない。

神秘主義は、中世のイスラム世界で花開いた思想で、独特の踊りや神への賛美の言葉を唱えることによって得られる神秘体験によって、天地万物の真理に迫ろうとするものだ。と聞いてピンとこなければ、日本の禅を想像してもらえればよい。坐禅(ざぜん)や瞑想(めいそう)によって、理屈では語ることのできない悟りの境地に達するという禅のアプローチは、神秘主義のそれとかなり通じ合う部分がある。

そしてイラン人は、この神秘主義思想を古くから詩のかたちで伝え、語り継いできた。神秘主義詩人としてはとくに、モウラーナー、ハーフェズ、アッタール、ハイヤームなどが高い人気を誇っている。

この神秘主義詩に、現代のイラン人たちが以前にも増して傾倒するようになった背景には、彼らの「イスラム疲れ」がある。

たしかに、神秘主義も広義にはイスラム思想の一部とされ、そこでも唯一神の存在は大前提となっている。

だが一方で、神秘主義詩を読めばわかるように、その内容にはコーランと矛盾するような部分も多く、詩人たちとイスラム法学者は歴史上、常に対立関係にあった。

現代のイラン人にとっても、イスラムと神秘主義はまったくの別物という意識が強く、「自分はムスリムをやめたが、神秘主義詩は大好きだ」という人はいくらでもいる。

政教一致のイランでは、敬虔な国民も、そうでない国民も、みんな「口うるさいだけで結果を出せないイスラム」に疲れ切っている。神秘主義詩は、そんな彼らが一息つける、いわば心のオアシスのような存在なのだ。

さて、前置きが長くなったが、早速いくつか例を見てみよう（以後、文学作品の引用はすべて若宮訳）。

天国も地獄もあのお方の一部／考えうるものを超越したお方
考えても無駄に終わるのはあのお方のこと／考えの及ばないお方それは神
そんなお方に不遜（ふそん）をはたらくとは何事か／そこにどなたがおられるか知っているだろう
愚か者たちはモスクでこうべを垂れながら／心ある者たちを容赦なく迫害する
愚か者たちよ、そこに真実はない／モスクは心ある者たちの胸の内にあるのだから

（モウラーナー『精神的マスナヴィー』）

ここで詩人モウラーナーが言おうとしていることは、①天国や地獄は具体的な場として存在しない、②神は偉大すぎて人間の理解を超えている、③神は人間の心のなかにいる、の三点だ。

文学的には、私が「愚か者」と訳した部分はイスラム法学者を、「心ある者」は神秘主義の行者を、それぞれ指すと解釈されている。

しかし、イスラム体制の暴政に怒り心頭のイラン人たちの解釈はちょっと違う。彼らは、「心ある者」を頭の中で、たとえば「自由を求めるイラン国民」とかに勝手に置き換えて読むのだ。

そうすると、どうだろう。八〇〇年も前の詩人の言葉が、見事に反体制のメッセージとなって読む者の心を激しく揺さぶりはじめるではないか！

そして、彼らは思うだろう。「やっぱり法学者もイスラム共和国もおかしい。八〇〇年前の大詩人がそう言ってるんだから、間違いない」と。

ところで、神が人間の心のなかにいるとすれば、必然的に人間自体の価値も無限大に高められる。その意味で神秘主義は、「人間中心主義」でもあると私は思っている。

もちろん、その人間は不完全で、矛盾に満ちた存在だ。でも、それでいいと詩人たちは言う。

いったい何者なのか？　かくも誘惑に弱い私は／時に善人となり、時に悪人となり
善悪のはざまで弓のごとく引かれ、しなり、壊れそうな私／運命を押しつけられるくらいなら、扉を閉めよう
星占いの星に私はなりたくない／吉ありと言われようが喜ぶまい、凶ありと言われようが落ち込むまい

（モウラーナー『シャムス詩集』）

つまり、人間は常に自己矛盾に苦しんでいるので、星占いのように外から眺めて、一方的に評価を下すのは誤りだとモウラーナーは説く。
こうした詩を読むときにもやはり、善悪の基準としての教条的イスラムと、ときに暴力を用いてそれを押しつけてきた政治体制のことが、否応（いやおう）なしにイラン人の頭をよぎる。
だが、その一方で彼らは、神秘主義詩を通じて、ありのままの個性と多様な価値観が尊重される世の中を夢見ることもできる。

これこそ神秘主義詩のもつ、時空を超えた「魔力」なのだ。

禅と神道こそ真の宗教!?

ところで、かつてイラン人はあまり本を読まない国民だと言われていた。イランには厳しい検閲制度があるから、古典ならまだしも、新しい本は読んでも意味がないと言う人も多かった。

しかし、それはもう過去の話だ。高学歴化にともなって、イランの読書人口は若い世代を中心に確実に増えている。

日本と同じように大型の総合書店も次々にオープンしており、カフェを併設したおしゃれな本屋は若者たちの新たな憩いの場になりつつある。最近は、割安な電子書籍を購入してスマホで読書を楽しむ人の姿も目立つ。

検閲は今も存在するが、実際に本を手に取って読んでみると、暗に現体制や法学者たちを批判する内容や、痛烈な社会風刺も多く、それほど検閲が厳しい印象は受けない。

出版物のジャンルも多岐にわたり、ポルノなどを除けばほとんど制約がない。

とくに人気があるのは外国文学、世俗主義や民主主義、女性論、心理学、それにイスラム以外の宗教やスピリチュアルに関するものだ。こうした本は平積みの新刊コーナーを常に独占しているから、そこを見ればこの国の世相と人々の最新の関心事がわかる。

そんななか、日本人である私の目を引くのが仏教思想、とくに禅に関する本の多さだ。世界的に有名な鈴木大拙(すずきだいせつ)など、日本人の著作をはじめとする翻訳書から、イラン人の研究者の手によるものまで、実におびただしい数の禅の本が出版されている。

たまにちょっとお節介な店員がいて、私が日本人だとわかると、こうした本の一冊を持ってきて薦めてくれたりする。気持ちはありがたいが、もともと日本語で書かれた本だったりすると、「それをペルシア語で読んでどうしろというのか」と思ってしまう。

禅は今や欧米でも人気らしいので、イランの禅ブームもそこから来たのだろう。しかし、イランの場合、私はやっぱり神秘主義の伝統がその素地にあるような気がしてならない。

禅に唯一神はいないが、神秘主義と同様に禅もまた不完全な自己を前提としている。そして、それを克服するための「諸行無常」あるいは「空」といった概念も、実は神秘主義の目指す境地と驚くほどぴたりと重なる。

イランでもっとも愛されている有名な詩のひとつに、次のようなものがある。

この世はすべて無なり、人もまた無なり／無のために無を思うこともまた無なり
知るべし、生の終わりに何が残るかを／何も残るまい、愛と情けのほかは

日本文化に関する本の数々。禅や仏教のみならず、美術や文学への関心も高い。

（伝モウラーナー）

「愛と情けは残る」と言っているのだから、それは単なるニヒリズムではない。そして禅もまた、小さなことに感動、感謝できる素直な心のはたらきを肯定する。神秘主義も禅も、ともに自己と世界を滅却することによって「生きる歓び」を噛みしめるのだ。

イスラムを棄てたと語ったレイラさんも、実は禅の思想に魅了された一人だ。彼女は言う。

「禅にははっきりとしたお手本がないの。だから、そこには競争もないし、比較の対象もない。ひたすら自己と向き合わなければならないところがイスラムとは違っていて新鮮ね」

だが、今レイラさんには禅以上に惹かれて

いる宗教がある。なんと神道だ。

さすがに神道は一般のイラン人にまだほとんど知られていない。かくいう私自身も、神道を宗教や思想としてちゃんと理解しているとは言い難い。

というか、そもそも神道には教えらしい教えすらないのでは？　そうたずねた私にレイラさんが熱っぽく語りだす。

「そこがいいんじゃない。神道は来るもの拒まず、去るもの追わずよ。生まれながらの神道信者もいないし、布教もしない。ただ自然の恵みと生きとし生けるものに感謝して暮らしなさいと教えるの。それは誰も否定することのできない真理のはず。

ああ、なんて素敵なの！　神道こそ世界でたったひとつの究極の宗教よ」

神道をここまで持ち上げられると、こちらもなんだかこそばゆい。

とはいえ、たしかにレイラさんの言うように神道が黙して多くを語らなかったことは、この宗教が太古の昔から命脈を保ってきた理由と考えられなくもない。

もちろんレイラさんは、国家神道のような、この宗教が生んだ負の歴史を知らないだろう。しかし、彼女は私が日本に帰ったときには神社のお守りを買ってくるよう必ず頼むばかりか、自ら日本へ行く機会があったらまっさきにお伊勢（いせ）参りをすると意気込むほどの神道好きである。

このままイラン人の「イスラム疲れ」が進めば、やがて彼らが神道に帰依する日もやって来るのかもしれない。

古代ペルシアを取り戻せ！——胎動する反イスラム主義

さて、イラン人は今、イスラムに代わる宗教や、神秘主義、禅といったスピリチュアルな世界に心の癒しを求めているわけだが、実はそれでもなお満たされないものがある。

それは、イラン人としての自尊心だ。

人間誰しも、生まれた国に誇りを持って生きたいものである。「いや、べつに国なんて自分には関係ないし」という日本人もいるかもしれないが、そんなふうに思えるのは日本がなんだかんだ「いい国」だからだ。

今、海外で出身国を聞かれて「日本人だ」と答えることにいちいち気後れしたり、劣等感を覚えたりする人はほとんどいないだろう。それは何でもないようなことだが、実はものすごく幸せなことである。

イラン人はというと、残念ながらそうではない。「自分はイラン人だ」と答える前に、いろいろなことを考えてしまう。

「テロリストと疑われないかな？」「マフィアに見られないかな？」「何となく怖がられない

かな？」「貧乏人と馬鹿にされないかな？」、そして「そもそもイランという国を知っているかな？」等々。

イスラム革命から四五年。イランは政治的にも経済的にも行き詰まったのみならず、国際社会からも「お荷物」のごとく扱われ、何かとネガティブなイメージのつきまとう国となってしまった。イラン人自身もそれを嫌というほどよくわかっている。

イラン人であることに自信が持てない。イラン人であることが恥ずかしい――。この辛さ、この悔しさを想像してみてほしい。それはもう筆舌に尽くしがたいものがある。イラン人たちに囲まれて何年も暮らすうちに彼らとの「同化」が進んでいる私なんか、こうして書いていても涙が出てくるくらいだ。

そんななか、イラン人のあいだで静かに、しかし巨大なうねりとなって広がりつつあるのが、古代ペルシア帝国への憧れだ。

イランといえばイスラムのイメージが強いが、イスラム化以前にはアケメネス朝やササン朝などのペルシア帝国が、イラン高原を中心に現在の中央アジアからアナトリア、エジプトまでの広大な地域を支配し、繁栄をきわめていた。

イラン人はこの時代を「イラン史の黄金期」として記憶している。イランとイラン人は、このころがいちばん輝いていたのだ、と。

ところが七世紀半ばに、イスラム軍（その実態はアラブ軍）の侵略を受け、ササン朝ペルシアが滅亡したことにより、「黄金期」はあえなく終焉を迎えることになる。

イスラム化以降のイラン史にも繁栄の時代がなかったわけではないが、古代の諸帝国と比べるとどこかパッとしない。それが、イラン人の一般的な歴史認識だ。

意気消沈しているイラン人たちは今、古代ペルシアの栄光の歴史に思いを馳せることによって、民族的な自信を取り戻そうとしている。

だが、一方でそれは、怨念に近い「反イスラム」「反アラブ」意識を呼び覚ますものでもある。「黄金期」がこの二者によって幕を閉じることになったのだから当然だ。

たとえば、老若男女を問わず、最近実に多くのイラン人たちが座右の銘としている格言に、「よき考え、よき言葉、よき行い」というものがある（ペルシア語では「ペンダレ・ニーク、ゴフタレ・ニーク、ケルダレ・ニーク」）。

これはもともと、イランの宗教的少数派であるゾロアスター教徒の人々が人生訓として掲げてきたもので、つい一〇年くらい前まで大多数のイラン人には馴染みのない言葉だった。

それなのに、これがウケた。理由は簡単だ。ゾロアスター教は古代ペルシアで生まれ、「黄金期」に隆盛をきわめた宗教である（現在の国内信徒数は約二万人）。イラン人は、「これを座右の銘にすれば、古代人の精神に近づけそうだ！」と直感したのである。

「よき考え、よき言葉、よき行い」という三拍子の簡潔さもよかった。イスラムのような「口うるささ」と無縁な感じが、「イスラム疲れ」のイラン人の心に響いたのだ。

古代回帰の波は、ノウルーズ（イラン正月。春分の日にあたる）にも押し寄せている。ノウルーズは古代ペルシアよりもさらに古い時代の太陽崇拝に起源を持つとされ、今でもイラン人がもっとも大切にしている年中行事だ。

ノウルーズになると、家庭ではハフト・スィーン（頭文字がSの縁起物を七つそろえたもの）と呼ばれる「正月飾り」をテーブルなどの上に並べる。そして、その中央にはハフト・スィーンとは別に、伝統的にコーランを配することになっている。

ところが、近年はこのコーランを置かない人が増えている。理由は、「ノウルーズはペルシアの祭りで、イスラムとは無関係だから」。つまり彼らは、イスラムを自文化のなかに紛れ込んだ「異物」として排除しようとしているのだ。

そして、古代回帰のシンボル的存在として何よりも重要なのが、キュロス大王である。キュロスは、ペルシア人による最初の帝国、アケメネス朝を築いた「イラン建国の祖」だ。その人気はまさにアイドル並みで、全イラン国民の〝推し〟といってもよいくらいだ。

鼻筋の通った凜々（りり）しいキュロスの横顔（もちろん後世の想像による）は、ブロマイドはもちろん、キーホルダーのようなさまざまなグッズにもプリントされ、道端などでたくさん売られている。

今、ペルシア語のSNS上でバズりたかったら、このキュロスの横顔にちょっとセンチメンタルな曲をつけて、彼にまつわる美談を二、三紹介すればよい。またたく間に何万件もシエアされて「いいね！」の嵐が起きるに違いない。

さらに、シーラーズ郊外の荒野に残るキュロス廟も近年、強力な磁場のごとくイラン人を引きつけている。当局は、二〇一七年以降、「キュロスの日」である一〇月二九日の墓参りを禁止したままだ。ここが、反体制の「聖地」となることを警戒しているのである。

コーランに代わるバイブル

こうした古代回帰の風潮に、思想的なバックボーンを与えているのが『シャー・ナーメ』だ。

日本語で『王書』とも呼ばれるシャー・ナーメは、一〇世紀から一一世紀にかけて活躍した詩人フェルドゥースィーが三〇年以上の歳月を費やして完成させた、長大な民族叙事詩である。

イスラム化以前の神話と歴史の集大成といわれ、ちょうど日本の『古事記』や『日本書紀』のような性格を持っている。

実は、ハフト・スィーンにコーランを置かなくなった人たちが、その代わりに好んで飾るのが、このシャー・ナーメにほかならない。シャー・ナーメは今、文字どおりイラン人の国民的バイブルとなりつつある。

その理由は二つある。ひとつはシャー・ナーメが成立するにいたった経緯だ。

イスラム軍の侵攻後、イランではおよそ二世紀ものあいだアラビア語の使用が強制され、ペルシア語とペルシア文化は消滅の危機にあった。これに強い危機感を抱き、立ち上がったのがフェルドゥースィーである。

「筆を執り骨を折ること三〇年／ペルシア語で甦り(よみがえ)しはイラン人」というイラン人ならば誰もが知る有名な一節は、そんな彼の自負心を表している。

実際に、シャー・ナーメでは当時多用されていたアラビア語の語彙(ごい)はほとんど使われておらず、極力ペルシア語だけで作詩しようとした痕跡(こんせき)がうかがえる。

つまり、シャー・ナーメはそもそもアラブ文化を排除して、ペルシア文化を再興するという、フェルドゥースィーの民族主義的な情熱によってしたためられたものなのだ。そんな作品が現代のイラン人の心を打たないはずがない。

シャー・ナーメが愛される二つ目の理由は、その内容が現代のイランを取り巻く状況と奇妙なまでにシンクロしていることだ。

ハフト・スィーン。中央に置かれている本がシャー・ナーメ。

とくに有名なのは、アラブ人の暴君ザッハークと英雄カーヴェの戦いである。

左右の肩から蛇を生やすザッハークは、毎日二人の若者を殺し、その脳味噌を蛇たちに与えていた。

ザッハークの圧政を見るに見かねて民衆に決起を呼びかけたのが、ペルシア人で鍛冶屋のカーヴェだ。カーヴェはザッハークを追い詰め、ついに暴君の手から人々を解放する。

このため、イランでは「ザッハーク」は独裁者の代名詞でもある。イスラム革命のころには国王をザッハークに見立てた風刺画が出回っていたが、昨今、ザッハークといえばもちろんハメネイを指す。

とりわけ、ハメネイが反体制デモを弾圧し、若者たちの命を奪う様は、まさに血に飢えたザッハークのイメージにぴたりと重なる。その一方で、現代のカーヴェがなかなか姿を現さないことに、イラン人はもどかしさも感じている。

シャー・ナーメはそんな彼らの嘆きを、こう代弁する。

無念かなイラン荒れ果てすさびゆき／猛獣のそこを棲み処となすならば
いにしえは兵どもの国なりて／幾世にも名君そこを治めたり
然れどもいま暗黒の世となれば／牙むきし竜に民みな呻吟す

この闇に光もたらす英雄は／猛獣の乳飲み子のうちより出でん

シャー・ナーメの影響は、今やイラン人の日常生活にも及んでいる。

とくに顕著なのは、言葉づかいだ。最近、若い世代を中心に、シャー・ナーメのように、アラビア語からの借用語を同じ意味のペルシア語に置き換えて会話しようとする人が増えている。

たとえば、「こんにちは」はイランでは普通「サラーム」というが、これはもともとアラビア語である。純粋なペルシア語では「ドルード」といい、ほとんど死語なのだが、アラビア語を嫌う人たちはあえてこちらを使う。

また、イランのみならずイスラム圏で広く使われている「インシャッラー（神の意思のままに）」も、最近では槍玉に挙げられる。これは、まだどうなるか分からない先のことなどを話すときの慣用句だが、やはり「ベ・オミーデ・ホダー」というペルシア語のほうが好まれる。

こんなことがあった。ある友人とのチャットで、私は何とはなしに「アル・ハムドリッラー（神に感謝を）」（いい出来事があったときに使われるアラビア語の慣用句）と書いて送った。すると相手からすぐさま一言、「アラビア語、やめてくれる？」。

私はお詫びの言葉に「冷や汗笑顔」の絵文字を添えて、同じ意味のペルシア語「ホダー・ラー・ショクル」を送り直して、許してもらったのだった。

慣用句だけではない。イラン人が子どもにつける名前も、ペルシア語化が著しい。たとえば、かつて男性に多かったレザー、アリー、ハサン、モハンマドなどアラビア語のムスリム名は、今やパルサ、フマン、メルダド、セペルなどのペルシア語名に押され気味である。

女性ならば、マルヤム、ファテメ、ザラ、ゼイナブから、パリヤ、ファラナク、パンテア、ロクサナなどへといった感じだ。

こうした最近の名前の多くは、シャー・ナーメに登場するおびただしい数の人物名や、言語学者でなければ意味を知らないようなペルシア語の古語に、その起源がある。日本でもキラキラネームが話題となって久しいが、イランで流行っている名前は、あまりに古すぎるがゆえに逆に「新しい」のだ。

イラン版「国学」とアラブ人嫌悪

このように、イスラム・アラブ文化を排斥し、古代ペルシア文化を現代に再興しようとする一連の復古主義的現象は、かつての日本における国学に相通ずるものがある。

江戸時代に、賀茂真淵や本居宣長らが否定しようとした、儒教や仏教といった外来文化は、イランでいうイスラム・アラブ文化に相当する。

そして国学者らが日本人の精神を『古事記』や『万葉集』、あるいは『源氏物語』に求めたように、イラン人は『シャー・ナーメ』を民族としての心のよりどころと考えている。

イランで復古主義を牽引しているのも文学者、言語学者、それに民俗学者などの肩書きを持った人たちで、彼らはまさにこの国の「国学者」といってよい。

江戸時代と違うのは、こうした「国学者」たちが一般向けにシャー・ナーメやノウルーズなどについて何か解説すれば、またたく間にその動画がSNS上で拡散され、誰でも簡単に専門的な知識を共有できるようになっていることだろう。

しかし、日本の国学の流れがやがて復古神道を生み、尊王攘夷やいびつな国粋主義と結びついたように、イラン版「国学」にも危うい側面があることは否定できない。

その最たるものが、年々高まりつつある「アラブ人嫌悪」の風潮だ。

多民族国家のイランは南西部を中心に二〇〇万人以上のアラブ系住民を抱えている。その多くはペルシア語も不自由なく話すことができ、イラン国民としてのアイデンティティをもちながら暮らしている。

だが、イラン人がアラブ人に対して抱いているイメージはズバリ「野蛮人」である。その背景に、古代ペルシアがアラブ人の侵略によって滅亡に追い込まれたという、苦い歴史に基づく怨念があることは言うまでもない。
「われわれはたしかに武力ではアラブ人に負けたかもしれないが、文化的には彼らをはるかに凌駕していたし、今もそうだ」とイラン人は固く信じている。

古代ペルシアに攻め込んだアラブ人が遊牧民を主体としていたことから、イラン人は今でもアラブ人のことを話題にするときは、「裸足のアラブ人」「家なしアラブ人」といった侮蔑的な枕詞をわざわざつけないと気が済まない。

だから、海外でアラブ人と間違われたり、同列に扱われたりするとイラン人は不快感を露わにする。「われわれを、あんな野蛮人といっしょにしてくれるな!」というわけである。

ちなみに、イランと、アラブ人国家の盟主サウジアラビアが犬猿の仲であるのも、このあたりの事情が関係していることは、イラン人ならば誰でも知っている。

しかし、そんななか肩身の狭い思いをしているのはアラブ系イラン人たちだ。

彼らは差別を恐れてしばしばアラブという出自を隠し通そうとする。非アラブ系のイラン人に心を許して、自分がアラブ系であることを打ち明けると、「君はアラブ系なのに行儀がいいね」などといった心ない言葉を浴びせられることもあるという。

アラブ系住民が多いフーゼスターン州は世界有数の油田が集中する地域にもかかわらず、

貧困率が高く、開発から取り残されている。政府も国民も、アラブ系の生活水準を向上させることにはほとんど関心がないようだ。

また、同州でコロナの感染者が急増していたときも、テヘランなどでもっぱら聞こえてきたのは「アラブ系は不潔だからしょうがない」と突き放すような声ばかりで、住民の健康を心配する人はほとんどいなかった。

「アラブ嫌い」は、今やイラン版「国学」の隆盛とともに、高まりこそすれ決して収まる気配がない。しかも、それはかなり高学歴だったり、豊かな国際経験をもっているようなイラン人のあいだにも広く浸透している。

それればかりではない。近年イランではこのアラブ人嫌悪に乗じるかたちで、イラン・イスラム共和国そのものがアラブ人による政権であるとする〝トンデモ説〟すら、まことしやかに信じられている。

歴史を通じて「文明の十字路」であったイランでは、ギリシア人、アラブ人、トルコ人、モンゴル人、クルド人など、さまざまな民族が代わるがわる王朝を打ち立ててきた。

そして現代に至り、イランはまたしてもアラブ人の支配下に組み込まれたのだ、とこの説は言う。

もっとも、それには理由がないわけではない。というのも、イスラム体制を牛耳る要人たちのなかには、ラリジャニ一族のように、イランの隣国イラクで生まれた政治家もいるからだ。イラクはアラブ人主体の国家である。

ただ、もちろんそのような政治家の数は決して多くはない。

それに、イラクにはイスラム教シーア派の聖地が点在し、そこには昔からイラン系イラク人も多数居住している。彼らは、ふるさとであるイランとイラクのあいだを行き来し、国境を越えたネットワークを形成してきた。

その彼らを「アラブ人」と呼ぶのは、ほとんど陰謀論といってよい。ただ、「イラン・イスラム共和国はアラブ人によるイラン支配である」という言説は、シャー・ナーメのザッハーク伝説とも結びついて、今これ以上ないくらいイラン人の民族意識を煽りたてている。

こうなると、反体制の気運がさらに高まるなかで、いずれ罪のないアラブ系イラン人たちがスケープゴートとなり、彼らに対する熾烈な迫害が始まってしまう可能性も否定できない。

それは、かつてヒトラーのナチス・ドイツが、ユダヤ系ドイツ人をゲルマン人主体の第三帝国における「障害」と見なし、ホロコーストを正当化した歴史を彷彿とさせる。

国学のような復古主義が、歪んだ自民族中心主義と排他主義に陥ってしまうのは、歴史の常なのかもしれない。

それでも私は、イラン人たちがファナティックな思想と距離を置き、差別のない新生イランを目指してくれることを願う。

奇しくもアケメネス朝の開祖キュロス大王は、バビロンに捕囚されていたユダヤ人を解放し、帝国内から民族や宗教に基づくあらゆる差別を一掃したことで名高い。

イラン人が本当の意味で古代ペルシアの栄光を取り戻し、再び世界の尊敬を集めたいのなら、今こそこのキュロスの精神に学ぶべきではないだろうか。

第三章　終わりなきタブーとの闘い——薬物、酒、自由恋愛、美容整形

法律は破ってナンボ

「イランって、酒も飲めないし、豚肉も食えないんだろう？　女の子とデートもできないって言うじゃないか。お前、よくそんな国で生きていけるな」

ときどき日本に帰って来て、私が「イランで暮らしている」と話すと、日本人の友人たちは決まってそう言う。そのとき彼らが浮かべる、感心とも軽蔑ともつかぬ表情にも、こちらはすっかり慣れっこだ。

「まあ本当にその通りだったら、とっくに正気を失っていただろうね。でも、いま君が言ったもの、イランでもまったく不自由してないから、ご心配なく！」

そうなのだ。あれもダメ、これもダメと言いながら、実はそのすべてにちゃんと抜け道が用意されている国、それがイランだ。

たとえば、イスラムで「ハラーム」（タブー）とされる豚肉を食べたいと思っても、たしかに普通のスーパーやレストランには置いていない。イスラム体制下では、ハラーム品の流通や販売が法律で厳しく禁じられているからだ。

ところが、ある場所へ行けば、いとも簡単に豚肉にありつくことができる。それは、宗教的マイノリティーが経営している店だ。彼らはムスリムと違って、豚をタブー視しない。

私は一時期、無性に豚肉が恋しくて、アルメニア正教徒やゾロアスター教徒が営むファストフード店に通っていたことがある。どちらの店も、密輸入された豚のベーコンで作ったハンバーガーやサンドイッチを出していたからだ。

もちろん、店のメニューには豚の「ぶ」の字もない。マイノリティーといえども、豚肉を扱っていることがバレると処罰される可能性が高いからだ。

だから、注文するときも「いつもの」とか「スペシャル」とかの隠語を使う。すると、なんだか銀座（ぎんざ）の高級店の裏メニューに通じた常連客にでもなったような気分がして、所詮（しょせん）はただのベーコンのはずが、日本で食べるときの五割増しくらい旨（うま）く感じたものである。

このほか、イランと聞いて多くの日本人が思い浮かべるものといえば、社会の隅々にまで徹底されている男女の隔離だろう。

学校が男女別学なのは言うに及ばず、バスの座席も男は前、女は後ろ。海水浴場やプールはもちろん、スポーツジムでも男女が顔を合わせることはない。

こうした措置も、夫婦以外の異性に近づくことをタブーとするイスラムの教えに従ったものとされ、やはりすべて法律で規定されている。

しかし、ここはイラン。そんな法律なんぞ建前でしかない。

「サトシか？　今日、プールに行こうと思うんだけど、来ない？　僕の彼女も一緒だよ」

電話の主は、前章でご紹介した私の親友、タハ君だ。

彼女も一緒？　いやいや、待ってくれ。この国で男女がそろって同じプールで泳ぐなんて不可能なはずだ。

「ハハハ。まあ、普通はそうなんだけどね。そのプールのオーナーは、僕の友達の親戚なんだ。今日は僕たちだけの貸切りだから、心配いらないよ」

こうしてわれわれは総勢四名、ほかにお客のいない、きれいな水に入りながら、水入らずの時間を過ごしたのだった。もっとも、私はタハ君の彼女の豊満なビキニ姿に、終始たじたじであったのだが。

ジェンダーとの関わりでいえば、イランでは同性愛（両性愛も含む。以下同様）も違法である。同性愛が発覚すると死刑になる場合もあることから、当事者たちは窮屈な生活を強いられている。セクシャリティーを苦にした自殺や自殺未遂も少なくない。

ＬＧＢＴに対するイラン人一般の差別意識も、おおむね日本人以上に強いといえるだろう。その傾向は特に年配の世代や、地方に住んでいる人ほど顕著だ。

その一方で、テヘランの中心部にはゲイのたまり場として有名な「ダーネシジュ公園」があり、東京の新宿（しんじゅく）二丁目さながら、出会いや売春を目的とする男性たちで常にごった返している。

すぐにそれと分かるような外見の人も多いが、不思議なのは彼らが摘発されたといった話は、滅多に聞かないことである。

あるいは、インスタグラムなどを開けば、売春目的できわどい写真を投稿している少年がたくさんいて、何千人という男性フォロワーを擁していたりする。

若い頃の私は、テヘランのような大都市で、しばしばゲイたちに声をかけられたものである。普通の友人だと思っていた人の家で、突然、肉体関係を迫られ、ほうほうの体で逃げ出したことも二度ある。

外国人だから気安かったのか、私が彼らの〝タイプ〟だったのか、知る由もないが、今となってはよい話のタネである。

ちなみに、私の友人の一人もバイセクシャルで、かなり中性的な見た目をしているが、まわりの異性愛者の友人たちは彼のセクシャリティーのことなど気にもとめない。そんなことよりも、人柄のほうがはるかに大事だからだ。

繰り返すが、イランはLGBTに優しい国では決してない。

しかし、かといって彼ら彼女らに、この国で生きていく道がまったく残されていないと言い切ってしまうと、事実に反する部分がある。

イラン人は、さまざまなタブーや時代にそぐわない法律に囲まれながらも、必ずしもそれらに縛られているわけではないからだ。

彼らは、ヌルッと人の手をすり抜けるウナギのように、あらゆる束縛を巧妙にかわしながら、今日もたくましく生きている。

以下は、そんな彼らとともに暮らす私が見てきた、リアルなイランの日常である。

マリファナでキメて夜のテヘランへ！

夕暮れ時。

リビングのソファでうたた寝をしていた私は、スマホの鳴る音で目を覚ます。

「おい、また昼寝か？　早く下りてこいよ」

いけない、マジード君との約束をすっかり忘れていた。私は慌ただしく身支度をして、マンションの前に停まった彼の車の助手席に乗り込む。

イラン製ポンコツ車、いや失礼、国民車である「プライド」の車内は、ただでさえ狭苦しいのに、空のペットボトルやらお菓子の袋やらが散乱していて足の踏み場もない。

「相変わらず汚いな、お前の車は。ま、女の子を乗せることもないんだから、しょうがないか」

私の皮肉には耳を貸さずに、マジード君は運転席で何やら黙々と手先を動かしている。「ゴル」を薄紙で巻いているのだ。ペルシア語で「花」を意味するゴルは、マリファナ（大麻）の隠語である。

それをタバコのようにくわえ、火をつけると、彼は車のエンジンをふかした。車内にはたちまちマリファナの独特な匂いが立ちこめる。

「さあて、今夜はどこへ向かおうか？」

そう私にたずねるマジード君の横顔は、ブツで〝スイッチ〟が入ったばかりなだけに、やたらすがすがしい。

「どこって、またいつもの場所へ行くんだろ？」

いつもの場所とは、マジード君とその「悪友」たちが毎晩たむろする、テヘラン北部の小さな公園だ。マジード君に連れられて、私もそこへ顔を出すようになってから、もう一年以上経つ。

テヘランにある公園という公園は、夜ともなればほぼ例外なく、マジード君のような堕落青年たちのたまり場と化す。

そこでの必須アイテムがマリファナだ。

マリファナをやらない私は、当然そんな場所へ行ったところで面白くも何ともない。連中が他愛もない雑談や、スマホの対戦ゲームに興じるのを、はたで眺めているだけである。

そうと分かっていてもマジード君の誘いを断らないのは、私のことを「親友」と慕う彼への義理が半分、残りの半分は「イラン社会の隅々までこの目で見ておかねば」という、誰に頼まれたわけでもない勝手な使命感ゆえである。

私たちの車は、テヘランの中心部を走っていた。群青色に染まりゆく街に、軒を連ねる店やマンションの明かりが灯(とも)りはじめる。

「あ、そうだ。今日はお前のために酒も持ってきたんだ」

おいおい、それを早く言ってくれよ。そうとなれば、こっちのテンションも爆上がりというものである。しっかりと、使い捨てのコップまで用意してくれているじゃないか。

彼が持ってくる酒はいつも「アラク」と呼ばれる、干しブドウから作られる無色透明の蒸留酒だ。私はそれをふたつのコップに注ぎ、片方を運転手の手に握らせる。

「サラーマティー（乾杯）！」

しこたまマリファナを吸ったうえに酒まで投入して、よくちゃんと運転ができるものだと毎度ながら感心する。

車はやがて高速道路に入る。速度は時速一〇〇キロを軽く超えている。マジード君が一瞬でもハンドル操作を誤れば、私たちは即死だ。

運よく死なずに済んだ日には、もっと厄介だ。一人は酔っ払い、もう一人は酔っ払いのうえにラリっている。酒も薬物もこの国では違法で、バレたら最悪の場合、ムチ打ちの刑に処せられる。事故で大怪我（けが）したうえにムチ打ちなんて、泣き面に蜂どころの騒ぎではない。

しかし、酔いが回ってくるにつれ、そんな不安もいつの間にか雲散霧消してしまうのだから不思議なものだ。

マジード君はマリファナと酒の相乗効果で、いよいよハイになってきた。スピーカーの音量を最大まで上げ、時速一〇〇キロのまま両手をハンドルから離して踊り出す。

「ひゃっほーう！　どうしたサトシ、踊れ踊れ。踊らんかー!!」

私は日本の踊りは皆目見当がつかないくせに、イラン風に踊ることに関してはまんざらでもない。ときに、上手（うま）く踊りすぎてイラン人のお株を奪ってしまうこともある。

それにしても、つくづくこのマジード君という奴は、絵に描いたような〝ダメ男〟である。三〇代なかばにして独身、彼女ナシ。一応、親父さんのツテで仕事はあるものの、自活できるほどの給料はもらえず、実家で肩身の狭い思いをしながら暮らしている。

将来が見通せない不安から、なけなしの金の大部分をマリファナ、酒、そしてタバコ代につぎこむ。夜は小言をいう両親と一緒に過ごすのが嫌なので、まっすぐ家には帰らず、私や「悪友」たちとつるんで現実逃避する。

一方で、そんなマジード君のダメ男ぶりを、彼一人の意志の弱さのせいにして片づけてしまうのも何か違うような気がする。若者がなかば自暴自棄になってしまうとき、その責任の一端は、政治や社会にもあるのだから――。

踊りながら、つらつらとそんなことを考えているうちに車は高速を降り、やがて私たちはいつもの公園に到着したのだった。

イスラム法学者たちはアヘンの上客

イランにおける薬物汚染は、日本とは比べものにならないくらい深刻である。統計によれば、イラン人の二〇人に一人以上は何らかの薬物に依存しており、イラン全体で一日に消費される薬物の総重量は二トン以上と推定されている。

テヘランの町を歩くと、薬物依存を治療するクリニックの多さに驚かされる。さらに、薬物依存者たちが専門の施設にこもって治療に専念する「キャンプ」というのもあり、その参加者を募集する張り紙などもあちこちで目にする。

また、薬物依存者を意味する「モオタード」という言葉は、イランでペルシア語を学ぶ外国人が、「学生」や「サラリーマン」などの基本語彙と並び、あたかも一種の職種名のように覚えさせられる単語のひとつである。

それほどまでにこの国では薬物がありふれているから、「うちの親戚の○○は薬物依存者で…」なんて話はざらにある。

薬物は離婚の原因ともなる。だから、イラン人は結婚する前に、学歴や収入、家庭環境などと同じように、相手が薬物をやっていないかどうかも慎重に調べ上げる。

もちろん、ひと口に薬物といっても、その種類はいろいろだ。

イランでは伝統的にアヘン吸引の文化があり、かつてはアヘン窟（くつ）（ペルシア語で「シーレ・ハーネ」）も存在していた。

今でもアヘン自体は出回っていて、「シーレ」と呼ばれるアヘンのエキスを黒く固めて作ったガムのようなものを専用の器具で熱して、その煙を吸う。ただ、私が見てきた限りでは、アヘンは今ではどちらかというと、ちょっと古くさい「おじさまの嗜好品（しこうひん）」である。

とくにイスラム法学者たちがアヘンの上客であることは、イラン人ならば誰もが知るところだ。

まあ法学者の全員が全員、アヘンをやっているわけではないだろうが、そんな前後不覚の頭で一国の政治が動かされてきたかもしれないと思うと、ゾッとする。

現在ではイランでも他の国々同様、コカイン、ヘロイン、メタンフェタミン（覚せい剤）など様々な薬物が入手可能である。だが、一〇代から三〇代くらいまでの若者のあいだで人気なのは、何といってもマリファナだ。

マリファナは、ランクにもよるが数百円から買うことができる。インスタグラムなどでマリファナを販売している人もいるが、普通はすでにマリファナを吸っている知人の紹介で売人を見つける。

あとは公園の暗がりや、人通りの少ない路上で売人と落ち合ってカネを渡し、ブツを受け取るだけだ。売人といっても別にヤクザのような人間が現れるわけではなく、むしろどこにでもいそうな、普通の若者がひょっこり顔を出す。

マリファナ吸引者たちは、マリファナを酒やタバコとほとんど同列に考えていて、マリファナだけに特段、罪悪感を覚えるということはない。むしろ人によっては、酒やタバコよりもマリファナのほうが〝健康的〟とすら考えている。

警察もこうした状況を厳しく取り締まることはなく、なかば黙認しているのが現状だ。

実はマジード君もかつて、私たちといつもの公園でたむろしていたとき、持っていたマリファナを巡回中の警官に見つかり、警察署に連行されたことがある。

「ついに、あいつもムチ打ちか」と、なかば観念して空を仰いでいたら、ものの一五分くらいで本人が署から出てきたのには拍子抜けした。軽い罰金だけで済んだのだという。

もちろん、厳罰化すればいいというものでもない。薬物依存の背景には、イラン社会の抱える様々な問題が横たわっているからだ。

まず、失業率の高さだ。二〇二三年の統計によるとイランの失業率は全体で七・六パーセント、一八歳から三五歳までの若年層に限ると一四・四パーセントにも上る。

ただし、仕事に就いている若い世代でも、実際にはパートタイムだったり、頻繁に転職を繰り返したりしていて、自活できるほどの経済力を持っていない場合がほとんどだ。

収入が安定しないと結婚も難しくなる。実際、イランでも日本と同じように晩婚化が進んでおり、三〇代になっても実家暮らしという人は、今や男女問わず珍しい存在ではなくなっている。

そんな彼らを苦しめるのが、親からの過干渉だ。

イラン人は、良くも悪くも、とにかく家族の絆(きずな)が強い。親が常に子どもを気にかけ、子どもが何でも親に相談できるのはもちろん素晴らしいことで、日本人も見習うべきだろう。だが、イランの親は自分の子どもがいくつになっても、今日どこで誰と何をしていたか、聞き出さずにはいられない。成長していく子どもとの距離の取り方を知らないのだ。彼らは自分の子どもが大学生や社会人になっても、その日の服装に文句のひとつでも言ってやらなければ、親としての責任が問われると、本気で思っている。

そんなわけだから、三〇代ともなれば、イラン人はもう親が鬱陶しくてしょうがない。

「一人暮らしをすればいいじゃないか」と思われるかもしれないが、過保護なイランの親たちは、たいてい未婚のわが子の一人暮らしを認めない。女の子の場合はなおさらだ。

仮に親が首を縦に振ったとしても、アパートの大家が入居を許可するかどうかは別問題だ。彼らもまた固定観念に縛られていて、独身の店子は異性を連れ込み、馬鹿騒ぎをするものと決め込んでいるからだ。

こうして、金もなく、結婚もできず、一人暮らしも許されないという八方塞がりのなか、人生の目標を見失い、悶々とした日々を送る若者たちが手を出してしまうもの、それが薬物なのである。

もちろん事情は人それぞれで、ここに述べたようなことがすべてではない。たとえば、お金にはまったく困っていないのに、両親の離婚や再婚がストレスとなり、薬物に走ってしまった友人も、私のまわりにはいる。

しかし、たしかに言えることは、薬物汚染がこれほどまでに広がってしまった背景には、イラン社会の歪みと、弱者に寄り添ってこなかった政治の怠慢があるということだ。

その意味では薬物依存者たちもまた、瀕死(ひんし)のイスラム共和国が生み出した「被害者」であると言えなくもないのだ。

呑兵衛に国境なし——禁酒国でたしなむ酒の味

一方、酒のほうはちょっと事情が違う。

こちらも違法であることに変わりはないが、薬物ほど暗いイメージはない。何しろイスラム革命前はイランでも飲酒は合法で、大都市にはバーやキャバレーなどが立ち並ぶ繁華街だって普通にあったのだ。

そうした文化の名残もあって、テヘランのような大都市では、よほど敬虔なムスリムや、体質的にアルコールを受け付けない人を除けば、ほとんどの人が多かれ少なかれ酒をたしなむ。

といっても、酒を販売または提供してくれるような店は当然ないので、こちらも薬物と同様、売人とコンタクトを取って、こっそり手に入れるのが基本だ。酒が欲しいときに売人に電話をすれば、いつでも自宅まで配達してくれる。

売人は呑兵衛（のんべえ）の友達を通じて見つけるのがいちばん確実である。馴染みの客からの紹介となれば、向こうもぼったくったり、変な酒を売りつけたりすることはできないからだ。ときどき、たまたま乗り込んだタクシーの運転手から、「酒が欲しかったら俺に連絡しろ」と電話番号を渡されたりするが、こういうのはまず失敗するのでやめておこう。

もちろん、酒は薬物と違って、その気になれば自分で作ることもできる。

たいていのイラン人は、郊外や故郷の田舎に「バーグ」と呼ばれる果樹園を所有している。バーグには、季節に応じてリンゴ、モモ、イチジクなど様々な果物がなる。

彼らは休暇ともなれば、こうしたバーグまで足を運び、果樹の手入れや収穫がてら、親戚や友人と一緒にバーベキューをしたり、お茶を飲んだりしながら過ごしている。それ自体は実に優雅で、健全なレクレーションだ。

ただし、バーグには当然、ブドウも大量にある。しかも、イランの強い日差しをいっぱいに浴びて育ったブドウは、甘くてみずみずしく、最高に美味ときている。

そうとなれば、呑兵衛のイラン人が考えることはただひとつ。そう、このブドウでワインを密造するのだ。

こうして自家製のワインを飲んでいる人もいるし、それを安く譲ってもらって飲む人もいる。やはり原料がいいせいか、密造ワインにはハズレが少ない。

前出のアラクも干しブドウを原料としているが、こちらは蒸留酒のため、製造には特別な装置が必要で、ワインのように誰でも作れるわけではない。

私は一時期、近所に住むアルメニア正教徒の男性からアラクを買っていた。

キリスト教を信仰する彼らには、豚肉食と同様、飲酒のタブーもないので、ムスリムからは酒造りのプロフェッショナルと見なされている。実際、彼の造るアラクは素晴らしく、風味はもちろん、酔いの回り方も醒め方も文句なしだった。

密造酒としては、ワインやアラク、それにビールが、イランでは広く親しまれている。ただ、密造ビールの多くは妙な甘さがあり、苦みとキレに欠けるので、日本人にはあまりおすすめできない。呑兵衛のイラン人も、たいていワインかアラクを飲みつけている。

密造酒のほかに、主に陸路で周辺国から密輸されるウオッカやウイスキー、缶ビールなどもある。だが、密輸酒はべらぼうに値が張るので、普段の晩酌には贅沢すぎる。どちらかというとパーティー用、もしくは富裕層向けといった感じだ。

ただし、イラン人が毎週末のように開いている親戚同士のパーティーなどで、酒が出されることはない。自分の親など身内の面前で酔っ払うのは、はしたないことと考えられているからだ。そのあたりには、一応ムスリムらしい文化が残っている。

では、いつ飲むかといえば、気心の知れた仲間だけで集まるときだ。

私の飲み友達は、前出のタハ君とその彼女さんである。三人で絨毯の上にあぐらをかいて座り、密造のワインやアラク、ビールなどを飲み交わす。

イランという国は、政治的にも社会的にも日本ほど安定していないので、普通に暮らしていても、毎日のように予期せぬハプニングに見舞われる。

それゆえ、幸か不幸か酒の席での私たち三人の話題も尽きることがない。嫌な出来事もたくさんあるが、飲みながら励まし、笑い飛ばしているうちに、みんないつの間にか上機嫌になる。

いよいよ酔いが回ってくると、寝転がって映画を見たりする。タハ君は、たいてい途中で寝てしまうので、私と彼女さんだけで結末を見届けるのが、いつものパターンだ。

もう一人、仲のよい呑兵衛の友だちに六〇代のサイードさんがいる。

彼は革命前から三〇年以上海外で暮らしていたが、今はリタイヤしてイランに戻り、テヘラン郊外の広い戸建てで一人、悠々自適の独身生活を送っている。

私もいくらイラン暮らしに馴染んでいるとはいえ外国人なので、やはりサイードさんのような、イランを外から眺めてきたイラン人と話すときは楽である。彼らは、この国のどこがよくて、どこが悪いかといったことを、客観的に認識しているからだ。

酒とおしゃべりを楽しむ若者たち。

海外生活の長かったサイードさんは酒にもうるさく、いつも密輸ワインの一級品を用意して私の来訪を待っている。

私たちがサシで飲みながらすることはひとつしかない。バックギャモンだ。イラン発祥といわれるこのボードゲームを私はサイードさんに習った。もちろん彼のほうは百戦錬磨なので、いまだに私が勝つことは滅多にない。向こうはそれで楽しいのだろうか？　と思うが、まぬけな一手を繰り出す私をクスクス笑いながら眺めているサイードさんを見ると、まあこれはこれで彼の気晴らしになっているようである。

“クラブ”で朝まで踊り明かせ！

いずれにしても、私がイランで酒を飲むときは、愉（たの）しい語らいや映画鑑賞、ボードゲームなどのかたわらチビチビ飲むのが常だ。眠くなったら床を敷いて大人しく寝る。我ながら、なかなか紳士的な呑兵衛(?)だと思っている。

日本で学生だったころは、毎晩のようにハイペースで酒をあおり、さんざんいらぬことを口走った挙句、明け方まで思いっきり羽目を外し、翌日になって激しい自己嫌悪に襲われていたことを思い出す。そのころと比べれば、ずいぶん成長したものである。

ところが、約二年半前のある晩、平穏な呑兵衛ライフを送っていた私を再びあの忌々しい学生時代へと逆戻りさせるかのような出来事が起きた。

その夜、私はイラン北部、カスピ海沿岸の避暑地として知られる、シャッサヴァルという町に向かっていた。同地にある別荘で開催されるパーティーに出席するためだった。

カスピ海沿岸部を、イランでは「ショマール」、すなわち「北」と総称する。この言葉から連想されるものといえば、波穏やかなビーチはもちろん、その背後に広がる田園風景、そしてどこまでも続く豊かな森林などである。

だが、それらはあくまでも表向きのイメージだ。

ショマールにはテヘランなどイラン各地から避暑に訪れる旅行者向けの貸別荘も多くあり、誰でも自由に借りることができる。となれば、当然こうした場所は男女の密会や、若者たちの乱痴気騒ぎの舞台ともなる。

何を隠そう、ショマールはイラン人が日常を離れ、羽目を外すための場所なのだ。

辺りがすっかり暗くなったころ、タクシーはシャッサヴァルの山道で車を停めた。

「着きましたぜ、お客さん」

運転手にそう告げられ、あたりを見回す。周辺にはいくつか別荘らしき建物が点在してはいるが、明かりが洩れている家は一軒もない。本当にこんなところでパーティーが開かれているのだろうか。

不安になっていたその時、暗闇の中から見知らぬ若い男がこちらへ近づいてくるのが見えた。

「ようこそ、ミスター・ワカミヤ。お待ちしておりました。どうぞこちらへ」

男に案内されるがまま、舗装されていない脇道を少し下ると、一軒の家が見えてきた。こぢんまりとした、平屋の建物である。

薄暗い室内に通されると、すぐに見慣れた顔が目に飛び込んでくる。私をこのパーティーに招待してくれたサミラさんだ。

サミラさんはまだ二〇代だが、二、三年に一度は外車を買い替えるようなお金持ちというだけあって、こうしたパーティーもしょっちゅう開催しているらしかった。

「サトシさん、待ってたわ！　疲れたでしょう？　さあさ、何でも好きなものを飲んでね」

カウンターに並んだ、酒とつまみのラインナップに、私は目がくらみそうになる。密輸品のビールやウオッカ、ウイスキーなどが所狭しと並んでいる。特注と思われるオードブルも、日本の一流ホテルで出てきたっておかしくないほど豪華だ。

「じゃあ、とりあえずアラクをもらおうかな」

高級酒がズラリと目の前に並んでいるにもかかわらず、私は飲みつけた安い密造酒の呪縛から逃れることができないようだ。貧乏性は、これだから困る。

やがて、会場に大音量のダンスミュージックが流れ始め、ほろ酔いの私たちは踊り出す。音楽を奏でるのは、この日のために雇われたプロのＤＪたちだ。日本のどんなクラブ通も、人里離れたイランのこんな山奥にも〝クラブ〟が存在していることなど、よもや知るまい。

集まったゲストは男女合わせて総勢一五名ほど。そのほとんどが一〇代後半から三〇代前半の若者たちだ。女の子たちはミニスカートに、胸元とおへそがのぞくタイトな服を合わせている。もちろん、スカーフなんかしている子は一人もいない。

だんだん、私も心の底から楽しくなってきて、アラクをあおるペースが上がってきた。

手当たり次第、目が合った女の子とペアになって踊ってみる。ときどき、彼女たちにおだてられ、輪の中央に進み出て我流のダンスなど披露すると、拍手喝采を浴びて最高に気持ちがいい。

そうこうしているうちに、いつしか自分が日本人であることも、ここがイランであることも忘れ、過去の失敗も、将来の不安も、何もかもどうでもいいもののように思えてきた。おこがましいことを承知で言えば、そのときの私の感覚は、一一、二世紀イランの大詩人ハイヤームの達していた境地に、当たらずといえども遠からずであった。

酒に酔っているのなら、愉しみたまえ/美しい娘といるのなら、愉しみたまえ
この世界の結末が無であるならば/さあ今、命あるうちに愉しみたまえ
（ハイヤーム『ルバイヤート』）

いくら法律で飲酒を禁じてみたところで、この国では千年近くも昔から、呑兵衛諸氏に偉大な〝精神性〟が与えられてしまっているのだ。イラン人から酒を取り上げるなんて、所詮は「絵に描いた餅(もち)」でしかない。

その晩、私は一睡もせず踊り明かし、朝を迎えた。

バルコニーに出ると、外は雲ひとつない青空で、恨めしいほど強い日差しが盛夏の山々に照りつけている。

頭が痛い——。割れるように痛い。見事な二日酔いである。

それが徐々に醒めてくると同時に、今度はものすごい後悔の念が襲ってきた。昨夜の女の子たちは、いい気になって踊っていた私を、今ごろきっとピエロかひょっとこのように思って、あざ笑っていることだろう。

「穴があったら入りたい……」

こんな気分になったときの責任までは、どんな大詩人も取ってはくれないのだった。

低すぎるナンパのハードル

イランの若い男女がよく使うペルシア語のスラングに「モフ・ザダン」という動詞がある。

感じとしては、日本語の「口説く」に近い。

若者たちと話していると、この「モフ・ザダン」を使って、口説いた、口説かれたという話によくなる。それくらい、イラン人はおおむね異性に対して積極的な人たちだ。

町で男性が女性に声をかけることを、日本では「ナンパ（軟派）」と言うが、あの言葉はよくない。どうしても背徳的な感じがして、ナンパするほうもされるほうも、ちょっと身構えてしまう。

イランにはナンパに相当する言葉がないせいか、男の子は通りすがりの女の子に、ごく自然な感じで声をかける。女の子のほうも、無視したり、必要以上に警戒したりすることなく、笑顔でそれに応じる。

だから、イラン人の女の子が日本へやって来ると、町を歩いていても誰も声をかけてくれないことに、ちょっと寂しい思いすらするらしい。

最近は、イランにもおしゃれなカフェがたくさんあって、どの店も若者たちで賑わっている。イラン人は、日本人のように仕事や勉強のために一人でカフェを利用することはあまりなく、たいていは友達と一緒に入っておしゃべりを楽しむ。

そんなカフェで隣の席に座ったかわいい女の子たちが、チラチラこちらに視線を向けてくるのに気づいたら、うかうか飲み食いなんかしている場合ではない。思い切って声をかける絶好のチャンスだ。

「チェトウリ（調子はどう）？」

最初のひとことはこれで十分。向こうも堰を切ったようにこちらのことをいろいろと聞いてきたら、まずは好感触だ。

たいていの女の子たちは社交の術を心得ているので、会話のきっかけさえ与えてあげれば、豊かな表情に派手な身ぶり手ぶりを交えつつ、全力で場を盛り上げてくれる。

こうして話が弾んだ相手を、カフェからどこか別の場所へ誘い出してもいいが、さすがに私もそこまでの遊び人ではない。

帰り際に電話番号を交換することができたら、ひとまずその日はよしとして別れる。もちろん、あとで連絡があるか、もう一度会えるかどうかは、神のみぞ知るである。

イランの男の子たちは、車を運転しているときでさえ、前後左右にかわいい女の子の乗った車がないか、猛禽類のごとく目を光らせている。

そして、目ぼしい車を見つけると窓を開けて、並走しながら声を張り上げる。

「どこへ行くんだい？　よかったら一緒にどう？」

ただし、こういう場合には男の子がどんな車を運転しているかが重要だ。庶民的な国産車では、まず女の子から見向きもされない。そのあたりに関して、彼女たちは日本人以上にシビアである。

最近では、出会いの場はカフェや路上に限られない。

イランでは老若男女、ほとんどの人がインスタグラムを使っているが、特に若い世代はこのアプリを彼氏、彼女探しのために最大限利用している。

だから、インスタをそういう目的で使うつもりのない人たち（特に女性）は、アカウントを非公開設定にしたり、プロフィール欄にわざわざ「既婚者」と記したりすることで自己防衛する。そうでないと、見知らぬ男たちからのしつこい口説きのＤＭに日夜、悩まされることになるからだ。

もちろん、インスタで意気投合したとしても、お互いが同じ町に住んでいるとは限らない。だが、そんなときもイラン人は簡単に諦めたりしない。バスや乗合タクシーで何時間もかけて、ソウルメイト（と信じて疑わないところの人）のもとへ赴く。

さて、出会いのきっかけはどうあれ、めでたくカップルが成立したとしよう。しかし、イランで大変なのはここからである。

なにせ、この国では男女ともに浮気性の人が多すぎるのだ。

浮気や不倫と、あの「モフ・ザダン（口説くこと）」とは、ちょうどコインの裏表のような関係にある。口説き、口説かれる人が多ければ、それだけ浮気や不倫も起こりやすくなるのは当然のことだ。

イランには、本当の意味で一途（いちず）な男性が、きわめて少ない。

誰もが口では「俺の彼女（妻）ほどよくできた女性はいない」と言いながら、自分に気のある女性が現れたら、一夜を共にするくらいのことは許されると思っている節がある。実際、同時に何人も〝彼女〟がいたり、愛人を囲ったりしている男性も少なくない。

女性も男たちのこうした習性を熟知しているから、四六時中パートナーのスマホを鳴らし、その行動を完全に把握しようとする。そして、一度でも電話に出なかったりすると、すぐに他の女の影を疑いはじめる。イラン女性の束縛と嫉妬は尋常ではない。

だが、実際には総じて女性も男性と同じくらい浮気性である。

特に、高級外車を乗り回している御曹司や、バキバキに腹筋の割れたマッチョに、彼女たちはめっぽう弱い。いろいろもっともらしい理屈をこしらえて、コロッと新しい男に乗り換えてしまう。

そんなわけだから、イランの男性は女性に対して、そして女性は男性に対して、互いに並々ならぬ不信感を抱いている。その傾向は、若い世代ほど顕著だ。

私のまわりにいる二〇代から四〇代くらいの男性たちは「イラン女性と心の通った恋愛をすることは不可能だ」と口をそろえる。一方で、「この世に愛など存在しない」と真顔で断言した女性の友人もいる。

日本人でも、たとえば失恋した直後などには、それくらい悲観的になることもあるだろう。しかし、イラン人の場合は、誰もがあまりに深手を負いすぎているので、「恋愛不信」がもはや一時的な感情ではなく、ひとつの社会現象のようになってしまっている。

だから、「イラン人たちは気軽にナンパができて、うらやましい」などと呑気なことを言ってはいけない。やはり、そういう文化には負の側面がちゃんとあって、彼らは彼らなりに苦労が絶えないのである。

恋愛体質のイラン人はなぜ恋愛下手になったのか

あるとき私は真剣に考えた。

「悩めるイラン人たちが真の恋愛に目覚めるために、何かできることはないだろうか」と。

自分がモテないことは棚に上げて厚かましいにも程があるが、私の頭はこういう方面ではよく働くのだから仕方ない。

そもそもイランでは、恋愛感情をともなわない男女の交友は、あまり一般的ではない。つまり、「男女の友情は成立しない」派が、「成立する」派をはるかに上回っているのだ。

だから、異性と仲良くなったら、それはもうカップルになったのと同じこと。その先も相手に指一本触れることなく、ダラダラと中途半端な関係を続けるなんて、イラン人的にはありえない。

その意味で、彼らはおしなべて〝恋愛体質〟である。そして、惚れっぽい人は、それだけ失敗のリスクも高まる。イラン人が恋愛不信に陥っている根本的な要因は、このような彼らの文化のなかに求めることができるのではないか、と私は考えた。

ただ、年配の人たちからは、「昔のイラン人は、こんなに恋愛で苦労しなかった」という話も聞く。彼らによれば、かつては今のようにカネやカラダ目当てで異性に近づくような人間は、ずっと少なかったというのだ。

だとすれば、イラン人が恋愛に失敗し続ける背景には、現代イラン社会に特有の事情も絡んでいるに違いない。

そこでまず思いつくものといえば、昨今の低迷する経済と、貧困の問題だ。

「貧すれば鈍する」とはよく言ったもので、貧乏になると人の心は卑しくなる。今のイラン人たちがまさにそうで、なかには食いつなぐことに必死のあまり、カネを手にするためなら手段を選ばないような人もいる。

普通、拝金主義というと、かつての日本のバブルのような好景気と、消費者の高い購買力によって生み出されるイメージがあるが、イラン人たちを見ていると、実際にはジリ貧の人ほど「カネがすべて」と思っているのがよく分かる。

そういう風潮のなかでは、誰かと知り合うにしても、金持ちと知り合ったほうが得だ。現代のイラン女性が男をカネで判断し、あわよくば玉の輿に乗ろうとする理由はここにある。

もうひとつ、イラン人の恋愛事情に影を落としているのが、イスラム革命後に徹底されるようになった、男女隔離政策だ。

特に小学校から高校まで男女別学となっていることは、多感な時期を過ごす子どもたちから、異性を理解する機会を奪うものであるとして、イランでもしばしば批判される。

私自身も男子校に通っていたから分かるのだが、思春期に女の子と間近に接する機会が少ないと、やたらと妄想ばかりがたくましくなり、歪んだ女性観が形成されてしまうことがある。平たく言えば、女の子を何よりも性的対象として考えるようになってしまうのである。

大学に入って再び男女共学となってからも、しばらくの間、私には女の子と紳士的に接するための〝リハビリ期間〟が必要で、個人的にいろいろ苦労したのだが、まあ読者は別に興味もないだろうから割愛する。

イラン人の場合は、七歳から一八歳まで、一度も男女で机を並べることなく成長するのだから、もはやリハビリどころか、どんな荒療治をもってしても絶望的なくらい、異性と解り合うことのできない人間に育ってしまうケースもあるだろう。

そんな彼らが、成人してからもなお、男女交際において肉体関係を優先するばかりで、心の通い合った恋愛ができないというのは正直、致し方ないような気もする。

ちなみに、イランでは処女性を重んじるイスラムの伝統により、今も建前上、婚前交渉はタブーとなっている。そのため、未婚の男女の肉体関係は挿入なしが基本だ。

といっても、最近では本人たちの合意があれば、この限りではない。ただし、女性が処女で、最終的に結婚に至らなかった場合には、少し面倒なことになる。

まず、女性は破れた処女膜を再生する手術を受けなければならない。のちに別の男性と結婚し初夜を迎えたとき、処女膜がないと大問題になるからだ。

そして、この手術にかかる費用は、当然その処女膜を破った男性が負担する。だから、挿入まで進むのは、男性側にその覚悟がある場合のみだ。

それほどまでに処女性が大事にされていながら、「童貞性」がまったく問題にされないのは男尊女卑もはなはだしい。

実際、若い世代は皆、処女膜云々（うんぬん）という話に時代錯誤的なものを感じ取ってはいるが、これればかりは伝統なので一朝一夕に変えられるものでもないようだ。

話を元に戻そう。

イラン人はなぜ恋愛下手になったのか、という問いに対する私の答えはこうだ。

おそらく、イラン人はもともと恋愛があまり得意なほうではなかった。惚れっぽくて、恋愛体質の彼らは、相手をよく知る前に付き合い始めては、裏切られたり、幻滅したりということを懲りずに繰り返してきた（失礼!）。

それに拍車をかけたのが、イスラム革命後の貧困と男女の隔離であった。これによって、特に女性はカネ目当て、男性はカラダ目当てで、それぞれ異性に近づくようになってしまったのだ。

その意味では、イスラム体制の矛盾は、今や若者たちの恋愛にまで暗い影を落としていると言っても過言ではない。となれば、「イラン人に真の恋愛を」などと夢想してみたところで、イラン・イスラム共和国の続く限り私の出る幕はなさそうだ。

美容整形ブームの裏にあるもの

男女の心を通い合わせる恋愛が風前の灯となりつつあるなか、今イランの若者たちに人気なのが美容整形だ。

イランの整形ブームは二〇〇〇年代に始まった。二〇一〇年代には、イランは整形手術の総件数で世界第二〇位、鼻の手術件数では世界第一位にランクインしたこともある。

保守的なイメージが強いイランで美容整形が流行っているなんて、ちょっと意外な感じがするかもしれない。事実、イスラムでは、怪我や病気で手術が必要な場合を除き、自分の身体を傷つける行為は固く禁じられている。

それでも整形がイランで合法なのは、それが「外見によるコンプレックスを取り除き、精神的な健康を取り戻すための、正当な医療行為」と位置づけられているからである。

まったく詭弁としか言いようがないが、「結局何でもあり」のイランらしい論理ではある。

鼻の手術件数で世界一に輝いただけあって、イラン人が男女ともにいちばんコンプレックスに感じている顔のパーツは鼻だ。

たしかに彼らの鼻は高くて、大きい。形としては、俗に言うワシ鼻や段鼻が多い。鼻が低い日本人からすれば、むしろうらやましいくらいだが、われわれがブタ鼻や団子鼻を気にするのと同じかそれ以上に、イラン人は〝立派な〟鼻を嫌う。

手術する場合は、鼻筋が平らになるよう削って、鼻全体を低くし、鼻先はシュッと上反りにする。そして、正面から見たときも鼻に存在感が出ないよう、横幅も小さくする。いわゆる「忘れ鼻」というやつだ。

鼻の整形を受けると、しばらくはテーピングをして過ごさなければならないのだが、イランの若者たちは、これを恥ずかしく感じないばかりか、むしろ誇らしげに見せびらかす。なぜなら、鼻の整形には平均月収の何倍ものお金がかかるからだ。鼻に貼られた白いテープは、単に美を手に入れた証（あかし）であるのみならず、そのためのお金を持っていることを周囲に示すステータス・シンボルでもあるのだ。

私の知り合いの女の子なんか、鼻整形の直後に手術室で自撮りした写真を私に送ってきた。別にこっちは整形がステータスだとは思っていないので、好きでもない女性に術後ほやほやの鼻を見せられても、引いてしまうだけである。

角が立たないように、「よかったね。お大事に～」とだけ返して、速攻で写真を削除させてもらった。

鼻以外にも、（美容整形には含まれないが）歯列矯正やインプラント、ホワイトニングなど、イラン人は歯にもお金をかける。

このほか、女性の場合には唇のヒアルロン酸注射や顔のリフトアップ、「エラ出し」や「頬骨出し」（エラや頬骨はイランではあったほうが美しいとされる）、それに豊胸・豊尻（ほうこう）手術などを受ける人が多い。

男性のほうは、鼻と歯を除けば、「毛」に関するものがほとんどで、薄毛治療や植毛、「ひげ植毛」（イランではひげも濃いほうがよい）、ムダ毛の部分脱毛などが人気のようだ。

最近では、中学生で美容整形を受ける女の子もいるというから、ルッキズム（外見至上主義）もここまで来ると世も末という感じがする。

その背景に、イランの若者たちの恋愛事情があることはすでに述べたが、理由は実はほかにもある。それは彼らの自己肯定感の低さだ。

イランに限らず、整形にご執心の方々の多くは、日々の暮らしに漠然と満たされないものを感じていたり、人生の目標を見失っていたりして、自分に自信が持てずにいるのではないか。

彼ら彼女らにとって、お金を払うだけでワンランク上の容姿を手に入れられる美容整形ほど、簡単に自己肯定感を高められる方法はない。

イランでも、整形した本人たちは、「スカーフで髪が隠されて、おしゃれができないから」

とか、「仕事や結婚に響くから」とか、もっともらしい口実で整形を正当化しようとするが、はっきり言って全部嘘である。

その証拠に、たいして容姿に恵まれていないにもかかわらず、成功して毎日エネルギッシュに活躍している人だって、この国にはたくさんいる。こうした人たちは、鼻が大きかろうが、胸が小さかろうが、毛深かろうが、ハゲていようが、全然気にしない。自己肯定感が高いからだ。

もちろん、政治や経済の混乱により、自己実現のための機会が限られ、社会に閉塞感が漂っている現代のイランにおいて、自己肯定感を高く保つのは容易なことではない。

だから、美容整形にハマっているイラン人を「お前は努力が足りないから自分に自信が持てないのだ！」などと頭ごなしになじるつもりはない。私だってそこまでの頑固親父には、まだなっていない。

ただ、整形するほどのお金があるなら、たとえば本を読んだり、習い事をしたりして、将来の自分に投資するのが正攻法では？　と思うのだが、どうだろう。

私は騙されない――イラン人に学ぶ「疑う力」

今から二〇年近く前、私が旅行で初めてイランの地を踏んだとき、いちばん驚いたこと。

それは、鬱陶しいほどの人々の優しさでもなければ、中学生レベルの下ネタで笑い転げている男たちの姿でもなく、「イラン人が体制のプロパガンダにまったく洗脳されていない」ということだった。

イランというと、日本では「北朝鮮の中東版」のような扱いなので、その国民も体制のイデオロギーにどっぷり浸かった狂信的な人々なのではないか、と思われがちである。

しかし、これまでにもご紹介してきたように事実はその逆で、むしろイラン人ほど自国の抱える問題に自覚的な国民はいない。個人的には、日本人のほうがよっぽど政府（とその背後に控える米国）に洗脳されているんじゃないかと思っている。

イラン人が洗脳されていないのは、彼らが国営放送をはじめとする国内の「御用メディア」を、まったくと言っていいほど見ていないからである。

では、何を見ているかといえば衛星放送である。二〇年前、すでにかなりの数の国民が衛星用パラボラアンテナを所有し、欧米在住のイラン人たちが運営する反体制メディアから情報を得ていた。

イランで海外の衛星放送を受信するのは、本当は違法である。そのため、厳しい摘発が行われていた時期もあったが、やがて黙認されるようになり、今では衛星を見ていない人を探すほうが難しいくらいだ。

衛星放送といえば、かつては英国のＢＢＣや米国のＶＯＡなど、英米の政府系メディアのペルシア語放送が主流だったが、最近ではいずれも英国に拠点を置くイラン・インターナショナルやマノト（ｍａｎｏｔｏ）といった、独立系チャンネルが人気だ（マノトのテレビ放送は経営難のため二〇二四年一月で終了）。

今日のイランの世論を形成しているのも、こうした欧米発の反体制メディアである。だから、イラン人が世界を見る目は、基本的にはわれわれ日本人を含む旧西側諸国の人たちのそれに近い。

一方、彼らは決して西側メディアのプロパガンダに染まりきっているわけでもない。そのことを示す好例が、革命防衛隊「ゴッズ部隊」司令官ガーセム・ソレイマニが、トランプ政権時の米軍の攻撃により殺害された事件だ（二〇二〇年一月）。

当時、日本をはじめとする海外メディアの多くは、事件を「テロリストを殺害した米国」対「愛国的英雄を失ったイラン」という構図でとらえていた。

たしかに、ソレイマニの殺害直後、イランの各都市で行われた追悼集会には何百万もの人々が参加し、国民の反米感情は最高潮に達しているかのように見えた。

だが、「サイレント・マジョリティー」という言葉が、私にとってこのときほどしっくりきたことはなかった。

というのも、私のまわりにはソレイマニの死を嘆き悲しんだり、米国に憤ったりしているイラン人など、一人もいなかったからである。

そうかといって、彼らは「テロリストの親玉が死んで、清々した」と手放しに喜んでいたわけでもなかった。

結論から言うと、追悼集会で「アメリカに死を！」と声を張り上げていた人々の数をはるかに上回る、圧倒的大多数のイラン人は、事件を「イランの自作自演」として冷めた目で見ていたのである。

どういうことか、説明しよう。

生前のソレイマニは、国外での軍事作戦はもちろん、国内でも反体制デモの弾圧に手腕を発揮するなど、将来のイスラム体制を担う人物として頭角を現していた。

ところが、それを快く思わない者がいた。独裁者ハメネイである。

彼は、実力者であるソレイマニが、いつしか自分の地位を脅かす存在となることを危惧した。米国がソレイマニを殺害したのは、ハメネイから依頼を受けていたからにほかならない——。

「いやいや、そんな話、ただの陰謀論でしょ」と思うだろう。たしかにそうかもしれない。

だが、「無能なリーダーが敵と手を組んで、有能な家臣を潰す」話は、イラン史をちょっとひも解けば掃いて捨てるほど出てくる。この国の人々にとって、自作自演説は十分、信じるに足る説なのだ。

私は政治学者ではないので、事件の真相について確かなことは分からない。

ただひとつ言えるのは、イラン人が「御用メディア」に洗脳されず、かといって西側メディアに踊らされることもなく、ニュースを常に自分たちの頭で分析しようとしていることだ。ソレイマニ殺害事件は、そのことをよく示している。

ところで、ペルシア語では政治のことを「スィヤーサト」という。

一方、この言葉には「計略」とか「謀略」という意味もある。そのせいだろう、イラン人は政治というものを、はなから信用していない。それどころか「騙されてたまるか」くらいに思っている。

一方、日本語の政という言葉は「祭り事」、すなわち神聖な祭祀のことを元来、指していた。だからということもないと思うが、日本人はイラン人に比べると政治に対して、あまりに従順である。

イラン人の「疑う力」を、われわれも少しは見習うべきではないだろうか。

スマホで変わるイラン社会

「俺たちイラン人は、賢くなったんだ。こいつのおかげでな」

ある友人が誇らしげにそう語っていたのは、もうかれこれ七、八年前のことである。そのとき彼の右手に握られていたもの、それは一台のスマートフォンだった。

スマホがイランで普及し始めたのは、二〇一三年ごろのことだったと記憶している。それにともない、かつて誰もが愛用していた、手のひらサイズのノキア社製携帯電話は、急速に姿を消していった。

スマホの普及がこの国にもたらした、いちばん大きな変化は、イラン人が世界とつながったことである。

もちろん、それまでも衛星放送やインターネットを通じて、彼らは国外の情報に触れてはいた。とはいえ、当時はまだ、実際にイラン人と会話する際、今ひとつ話がかみ合わないようなことが、しばしばあった。

たとえば、かつてはよく「ナイトクラブとはどんなところか」とか、「寿司とはどんな食べものか」とか聞かれたものである。

だが、今ではそんな基本的なことを知らない人はいない。実際には見たことがなくても、だれもがインスタグラムなどで一度は目にしたことがあるからだ。

そればかりか、最近では「満員電車に乗客を押し込む日本のアルバイトの時給はいくらか」とか、「あなた方は男根をかたどった神輿を担いで町を練り歩いて、恥ずかしくないのか」等々、こちらが質問にたじろいでしまうくらい、彼らは日本のことをよく知っている。日本だけでなく、世界についてもこの調子で、近ごろのイラン人は本当に知識が豊富である。

昔のように、私のほうから話題を合わせたり、言葉の意味から説明しなければならないようなことがなくなったので、話していてラクだし、何より会話が弾む。「これがグローバル化というやつか」などと、今更ながら思ったりする。

一方で、この国の独裁体制は国民が世界とつながることを恐れているようだ。

そのため、インスタグラム、ツイッター（現X）、フェイスブック、ユーチューブなど、主なSNSや動画サイトは通信省によってフィルタリングされており、そのままでは開くことすらできない。

では、どうするかというとVPN（仮想専用線）アプリをスマホにダウンロードし、閲覧のたびにこれを起動させてフィルタリングを迂回する。

かなり面倒ではあるが、逆に言うとVPNさえあれば、どんなアプリやサイトにもアクセスすることが可能なので、実際には何の制限もないのと一緒である。

フィルタリングが今や有名無実化していることは、大物政治家や大統領、さらにはハメネイまでもが、堂々とツイッターで国民向けに情報発信していることからも明らかだ。

「ならば、いっそのことフィルタリングなどやめてはどうか」と誰もが思っているが、そう一筋縄ではいかないようである。一説では、VPN業者と当局は裏でつながっていて、「フィルタリング・ビジネス」でズブズブの関係にあるとも言われている。

仮にそんな理由でフィルタリングを存続させているとすれば噴飯ものもいいところだが、イランの政治文化的に「さもありなん」な話ではある。

ところで、スマホの登場はこの国の人々の知識を豊かにしただけではない。

二〇二二年の反体制デモをはじめ、イランで発生する最近の抗議運動が大規模化しているのも、実はスマホの普及と大きく関係している。

自分の町でデモに参加したり、遭遇したりすると、人々はその様子をスマホで撮影する。それは単に、あとで見返したり、SNSにアップしたりするためではない。国外の反体制メディアが、視聴者にこうした映像を積極的に提供するよう呼びかけているからだ。

メディアに寄せられる膨大な数の写真や動画は、厳選され、数時間以内に各配信社のニュース番組やSNSで取り上げられる。その内容は、現場に居合わせた者が撮っただけあって、いずれも臨場感にあふれており、ときに生々しく、残酷ですらある。

とくに、当局の非人道的な弾圧や、それに屈することなく立ち向かうデモ隊の様子などは、見る者の心を揺さぶって余りある。義憤に駆られた人々は、やがて自らもデモに参加するので、連帯の輪はまたたく間に全国に広がっていくことになる。

しかし、その一方でスマホによって誤った情報や、かなり偏った意見が拡散してしまうこともある。前章でご紹介した「アラブ人嫌悪」や、それに基づく「陰謀論」などはこの一例だ。

つまり、イラン人のナショナリズムは今後、スマホによって良い方向にも、悪い方向にも転ぶ可能性があるということだ。

どちらに転ぶかは、もちろんイラン人次第であるが、私は昨今、彼らの多くがイスラム体制を嫌悪するあまり、典拠のあいまいな情報を都合よく解釈し、反体制運動のために利用する傾向のあることを強く危惧している。

いわゆる「御用メディア」は、しばしばこうしたデマに対抗すべく、様々な情報源を明示しながら反論を試みる。それらを注意深く見てみると、「御用メディア」の主張のほうが説得的な場合も、たしかにある。

この体制派と反体制派が、常にもっとも激しいバトルを繰り広げているのが、イスラム革命の歴史的な位置づけをめぐる議論だ。

つまり、なぜ王政は崩壊し、なぜホメイニが実権を握ることになったのかという壮大なテーマなのだが、これについての考察は次章に譲ることにする。

第四章　イラン人の目から見る革命、世界、そして日本
――王政復古、反米、反中、親日

「王政期レトロ」から見えるもの

「昭和レトロ」が日本の若い人たちのあいだでブームとなっているようだ。

テレビやSNSでは、昭和のころから愛される昔ながらの喫茶店や、人情味あふれる町中華の店、それに、懐かしさ漂うおもちゃや生活雑貨などが日々、数多く紹介されている。

もちろん、実際の昭和期に人生を送ってきた世代の中には、不便さや不愉快な記憶とともにこの時代を振り返る人も少なくないはずだ。

だが、「昭和レトロ」に惹かれる人々は、モノと情報にあふれ、人間関係が希薄になっている令和の日本が失ってしまった、「古き佳(よ)き時代」の残り香を、そこに嗅(か)ぎ取っているに

違いない。

ところで、われらがイランでも、近年、これとよく似たブームが起きている。イランのレトロ趣味は、イスラム革命の前、パフラヴィー（パーレビ）王政期の暮らしや文化へのノスタルジーから生まれたものだ。

レザー・シャーが初代国王として即位し、パフラヴィー王朝を打ち立てたのは一九二五年、日本の昭和時代が始まるちょうど一年前（大正一四年）のことである。

そして、第二代国王モハンマド・レザー・シャー（パーレビ国王）が革命によって廃位され、王朝が崩壊したのが一九七九年（昭和五四年）。実は、イランの王政期は日本の昭和時代にほぼすっぽり収まっている。

だから、イラン人が「ザマーネ・シャー（王政期）」という言葉を口にするとき、それはまさにわれわれの「昭和」と似た響きを持っている。そう考えれば、この国の人たちの歴史感覚を、日本人も多少、身近に感じられるのではないだろうか。

イラン人が「王政期レトロ」を感じるモノは、たくさんある。

たとえば、ダイヤル式の黒電話、桃色の花柄の食器（日本製が多かった）、青や黄色のガラス窓、小型の石油ストーブ、壁に立てかけて使う重たいクッション、そして家族団欒の場だった炬燵——。

王政期の家族の肖像（1970 年代）

若い世代を中心に、骨董品店などでこうしたものを買い求め、自宅をノスタルジックな雰囲気でコーディネートすることも、今やちょっとした流行になっている。

前章で少し触れた国産自動車、その製造が始まったのも王政期のことだ。一九六〇年代後半、イランは大衆車「ペイカーン」の量産に成功する。当時アジアで本格的な自動車産業を確立していた国はまだわずかしかなかった。ペイカーンは今や町なかからほとんど姿を消したものの、昔の映像などでそのレトロなデザインを目にするたびに、イラン人は技術大国への道を歩み始めていたかつてのイランに思いを馳せる。

モノだけではない。現在は当局によって禁じられている女性歌手たちの唄うナツメロ、ベールなしの女優たちが出演する映画やコマーシャル、それにキャバレーの立ち並ぶ歓楽街や、欧米からの旅行者で賑わう観光地の写真なども、皮肉なことにこの国では「レトロな」イメージをもって受け止められている。

だが、これらが単なるノスタルジーとして片づけることのできない、ある種の痛みを含んでいることは言うまでもない。なぜなら、それは「いつしか失われてしまったもの」ではなく、革命によって、「奪われてしまったもの」だからだ。

このように、「王政期レトロ」を通じてイラン人は、当時と現在のイランの落差をまざまざと見せつけられ、イスラム革命がこの国にいかに暗い影を落としているかを再認識する。

もちろん、王政期の社会にも様々な問題があっただろう。そうでなければ、あの革命は起きていなかったはずだ。そのことはイラン人とて百も承知である。

しかし、それでもなお、革命から四十余年、イスラム体制下で呻吟してきた人々の目に、王政期は燦然と輝いて見える。

あのころは、よかった。あのころに戻りたい——。

「王政期レトロ」を支えるもの、それは単なるノスタルジーを超えた、王政そのものを再評価しようとする人々の強い思いにほかならない。

それればかりではない。実は今、多くのイラン人が王政を再評価するのみならず、それを現代のイランに再興することすら、真剣に模索し始めている。

このいわゆる王政復古の問題に触れることは、イラン国内は当然のこと、イラン政府への配慮から、日本でもなかばタブーとされてきた。だが、このテーマを避けて現代のイラン政治を語ることはできない、というのが私の考えだ。

そこで本章では、イスラム革命から四〇年あまりを経て、なぜいま王政復古が叫ばれているのか、その主張はいかなるものか、またどんな問題点を孕んでいるかを、イラン人たちの肉声も交えながら考察する。

王政復古論は、イラン人自身がイスラム革命をどのように総括しているかという問題とも直結している。そのため、プロパガンダや、いわゆる歴史の通説とも異なる、「国民目線の革命史観」を明らかにすることも、本章の重要なテーマとなるだろう。

少し先回りすると、イラン人の多くは、あの革命は純粋なピープルパワーの賜物(たまもの)では決してなく、大国の思惑が交錯するなかで引き起こされたものと考えている。

そのため、こうした国々、そして世界を見る彼らの目は、今日もなお強い猜疑心(さいぎしん)と不信感、そしてときに劣等感に満ちている。本章後半では、日本を含めたイランを取り巻く国々を、イラン人の視点から見つめ直すことで、彼ら特有の世界認識に迫ってみたい。

以上のように、本章ではやや歴史的、政治的な話が続くことになるが、きわめて大事なテーマだと思うので、しばしお付き合いいただけると幸いである。

現実味を帯びてきた王政復古

通常、世界のどこの国でも、革命によって生まれた政権は、旧体制を徹底的に糾弾し、その存在を歴史から抹消しようとするものだ。

イランのイスラム体制もまた、革命以来、パフラヴィー王政を「独裁君主による暴政」であったとする歴史認識を堅持している。

にもかかわらず、王政復古という、体制のもっとも恐れていた事態が、水面下とはいえ大きなうねりとなりつつあるのは、なぜか。

おそらく多くの日本人は思うだろう。「国民の手で倒した体制を、同じ手でもう一度甦らせようなんて、あまりに無茶苦茶な話だ」と。

私もかつてはそうだった。それは、たとえるならば、明治時代のあとに「徳川一六代将軍」が登場するようなもので、およそ歴史の定石とは思えない。

たしかに、イランでも革命の直接的な原因を作ったとされる、モハンマド・レザー・シャーに対する評価は、いまだに定まっていないところがある。

シャーは、とくに一九七三年以降、OPEC（石油輸出国機構）を足がかりに国際社会での発言力を強め、石油ショックで苦境に陥った先進諸国を尻目に驚異的な経済発展を実現、イランを「中東の日本」と呼ばしめるまでの地域大国に押し上げた。

しかしその一方で、シャーはいわゆる開発独裁の典型として、言論の自由を制限、とりわけ国内の共産主義勢力を徹底的に弾圧した。

また、シャーは国有企業の市場独占や政官財の癒着、急激な都市化にともなう格差の拡大といった問題に有効に対処することができなかったため、国民の不満は増大することになった。

それでも現代のイラン人は、シャーが欧米メディアの記者を相手に流暢(りゅうちょう)な英語で堂々とイランの国益を主張したり、当時のエリザベス女王やカーター大統領から手厚いもてなしを受けたりする映像を見返すとき、今でもシャーの存在をどこか誇らしく感じずにはいられない。

私にはアミール君という、三〇代になる友人がいる。いつもイランのあらゆる問題を、豊富な知識と語彙力で解説してくれる彼は、シャーに対する人々の認識についてこう語る。

「とくに革命を知らない一〇代から三〇代くらいの若い世代が、モハンマド・レザー・シャーに素朴な憧れを抱いているのは事実だよ。

でも、王政復古を真剣に唱えている人たちからは、彼の政治手腕を手放しで評価する声はあまり聞こえてこない。

彼は立憲主義を軽視していたし、反対派の意見に耳を貸さなかった。経済発展に見合った政治文化を国民のあいだに根付かせる努力を怠っていたんだ。

そもそも彼にとっての本当の脅威は共産主義者ではなく、イスラム法学者だったのに、それを見抜くこともできなかった。

さらに、イランの国益を優先するあまり、最終的に欧米諸国との協調関係にヒビを生じさせたのも、大きな失策だったと言わざるをえないね」

では、それでもなお人々が王政復古を求めるのは、いったいなぜなのか。アミール君は、

モハンマド・レザー・シャーとファラ王妃。1959年12月21日、二人の結婚式にて。AFP＝時事

二人の人物の名を挙げ、その理由を説明する。

「王政復古は、モハンマド・レザー・シャーではなくて、（王妃の）ファラ・パフラヴィーと、（父で初代国王の）レザー・シャーの路線にイランを戻そうとするものだ、と僕は理解している。

ファラ元王妃は、自ら数多くの社会事業を手がけることで、イランの教育や福祉、文化芸術の分野で歴史的な貢献を果たした。だから、シャーを今ひとつ好きになれない人でも、ファラの功績は高く評価している場合が多い。

彼女のように、イラン国民のために地道に汗を流す愛国的な指導者を、今僕たちは待望しているんだ」

初代国王レザー・シャー（1878–1944）。Roger-Viollet via AFP

ちなみに、このファラ元王妃は革命後、実質的な亡命先となったエジプトでシャーの最期を看取ることになったが、自身は八五歳となる今も健在だ。頻繁にメディアの取材に応じてイスラム体制を厳しく批判しており、いわばイラン人の声なき声を代弁する存在として、その挙動には常に大きな関心が集まる。

アミール君は続ける。

「一方、レザー・シャーのほうは、イランを近代的な国家に作り上げた英雄として、今も揺るぎない名声を保っている。

彼は、イラン社会が世俗化する必要を痛感していたから、ときに強権的な手法に訴えて批判されることもあったけれど、最近のイラン人はそれが正しかったことに気づきはじめている。

どうしてかって？　だって、イスラム法学者と彼らに群がる連中を、生半可なやり方でこの国から一掃できるとは、到底思えないだろう？」

イスラム法学者たちの牙を抜き、将来にわたり二度と政治権力を持てぬよう、宗教組織を完膚なきまでに解体する。そのためには、神をも恐れぬ第二のレザー・シャーが必要なのだ――。

正直、かなり血なまぐさいシナリオではあるが、これもまたイラン人たちがしばしば口にすることではある。

もう一人の〝レザー・シャー〟――救国のプリンスか、無能な凡人か

国民のために心を砕き、民生分野で献身的な活動を続けたファラ元王妃と、イランの世俗化を目指し、イスラム勢力を徹底的に抑え込もうとしたレザー・シャー。この両者のイメージが王政復古論を後押ししていることは、アミール君の話からわかった。

では、いざ王政復古となった場合に、誰が再びイラン国王として即位するのか。

モハンマド・レザー・シャーとファラ元王妃のあいだには四人の子どもがいたが、うち二人は自殺しており、存命中なのは長男レザーと、長女ファラナーズの二人だけだ。

レザー・パフラヴィー。2023年4月19日撮影。AFP＝時事

このうち、レザーは父の在位中に皇太子となって

おり、革命さえなければその後を継いで国王となるはずであった。王政復古論者たちが将来のイラン国王として擁立しようとしているのも、まさにこのレザーにほかならない。

祖父と同じ名を持ち、目元に亡き父の面影を感じさせるレザー・パフラヴィーは、王政復古論者たちからは今も「シャーザーデ（王子）」の称号で呼ばれる。一九六〇年生まれの六三歳。政治の世界では、まさに脂の乗りきった年齢といっていいだろう。

もっとも、祖国を追われ、米国で暮らす彼がイランのためにできることは、これまでも限られてきた。

イスラム体制による人権侵害を非難し、イランの民主化を実現すべく、著述や様々なロビー活動を通じて主要国への働きかけを行ってきたものの、大きな成果を挙げてきたとは言い難い。日本での彼の知名度の低さも、それをよく物語っている。

それでも、ここ三、四年、イラン国内でデモが頻発し、イスラム体制の人権弾圧が深刻化するにつれて、レザー・パフラヴィーがメディアで発言する機会は確実に増えてきている。

とくに二〇二二年の反体制デモの際には、これへの全面的な支持を表明する一方で、国民に対してイスラム共和国の崩壊に備えるよう呼びかけたため、彼がいよいよ新体制の樹立へ向けて本格的に動き出したのではないかと、一時憶測を呼んだ。

レザー・パフラヴィー本人は、「イスラム体制後のイランの政体は、イラン国民が選択すべき」と繰り返し述べており、自らの即位やパフラヴィー朝の再興については明言を避けている。

しかし一方で、父モハンマド・レザー・シャーに非があったことを認め、自分はその反省の上に開かれた民主主義を実現したいとも語っており、何らかの指導的ポジションにつく意欲は隠していない。

メディアへの露出が増えるにしたがって、名実ともに新イランの象徴的存在となりつつあるレザー・パフラヴィーだが、一般のイラン人たちは彼をどう評価しているのだろうか。

アミール君は言う。

「レザー・パフラヴィーが、どうやら独裁者でなさそうなことは確かだけど、その政治的な手腕はまったく未知数といっていい。口先だけの凡人という可能性もある。

正直に言うと、レザー・パフラヴィーを担ぎ出そうとしている人たちの大半は、スーツにネクタイを締め、ときにユーモアを交えながら流暢な英語で会見する彼に、新しいイランの姿を重ねているだけじゃないかな。

それから、レザー・パフラヴィー本人の資質以上に大事なのは、彼があのファラ元王妃の息子だっていうこと。ファラがあまりに偉大だったから、レザー・パフラヴィーの中にもファラを見ているというか……」

また、ある知人の女子大生も、レザー・パフラヴィーに対する複雑な胸中を吐露する。

「とにかくイスラム体制があまりにひどいので、今それに代わることのできる勢力なら、何でもウェルカムみたいなところは、正直あります。レザー・パフラヴィーがどうして次の指導者としてふさわしいのか、きちんと言葉で説明できる人は少ないでしょう。

私がレザー・パフラヴィーを支持しているかって? まあ、どちらとも言えませんね。

イランの歴史を振り返れば、むしろあまり期待できないような気がします。イメージだけが先行する新しい指導者を熱狂的に支持して、いざ権力の座につけてみたら惨憺たる結果になったということが、これまで何度もありましたから。直近ではホメイニが、その好例です」

レザー・パフラヴィーは救国のプリンスか、無能な凡人か、はたまた第二のホメイニか。それを見極めるためには、もう少し時間が必要であると同時に、歴史を踏まえたうえでの相当な覚悟と慎重さが、イラン人に求められている。

王政復古のカギは天皇制にあり!?

一方、イランの新体制について独自の意見を述べるのは、第二章でもご紹介した友人レイラさんだ。大の日本びいきで、神道にも強い関心を寄せる、あのレイラさんである。

　彼女の祖父は生前、イラン外務省の高官として王政に仕える身であった。その祖父が、イスラム革命とパフラヴィー朝の終焉に、人知れずむせび泣いていたという話を、レイラさんは幼い頃から幾度となく聞かされてきた。

　そして、その夫人であるレイラさんの祖母は、目の黒いうちに王政復古を見届けることを今も願いながら、余生を送っているという。

　そのような家庭環境に育ったレイラさん自身もまた、当然のことながら王政復古そのものには賛成である。おもしろいのは、その理由だ。

「どこの国でも、国父と呼ばれる人物は手厚く葬られて、国民の崇敬の対象になっているでしょ。トルコならばアタテュルク、日本ならば明治天皇といった具合に。

　イランの場合、国父はレザー・シャーをおいてほかにない。彼こそが、無知と迷信、貧困と不衛生のなかにまどろんでいたイランを目覚めさせ、この国をゼロからひとつの近代国家に作り変えたんだから。

　それなのに、革命後、イスラム体制がレザー・シャーの墓廟を破壊してしまったせいで、私たちは彼の遺体が今どこにあるかすら知らないの。そんな話ってある？

　私はね、レザー・シャーの遺体が見つからなかったとしても、せめて国父の末裔（まつえい）たる者たちはこのイランの地で名誉ある地位を享受すべきだと思う。だから、ファラ元王妃とその息子レザー・パフラヴィーには、いつかイランに帰って来てほしいと思っているの」

彼女の考え方は、王家なるものの存在意義の本質を突くものだ。王統をその根幹において支えるもの、それは個々の王の資質ではなく、偉大なる初代の功績に対して永遠の敬意を表したいという、国民のパトスなのではないだろうか。

しかし、レイラさんもまたレザー・パフラヴィーの政治手腕については懐疑的だ。

「私たちは今、レザー・シャーのような強い指導者を待望している。彼が世俗化のためにイスラム勢力を弾圧し、その結果、独裁者呼ばわりされてしまったのは、時代の先を行く彼に、国民がついていけなかっただけ。

イスラム共和国という悲惨な歴史を経て、私たちは今、ようやくイスラムの恐ろしさとレザー・シャーの先見性に気がついた。

だから、イランの新たな指導者がイスラム勢力に再起不能なまでの大迫害を加えることになっても、今では文句が出ないどころか、全国民から熱烈に歓迎されるはずよ。

それなのに、レザー・パフラヴィーはすべてのイラン人の融和を掲げて、イスラム勢力はもちろん、革命防衛隊とも和解するって言うじゃない。私は反対だわ」

レイラさんの話は「破壊と創造」という言葉を想起させる。創造の前には、まず徹底した破壊がなければならない。だが、レザー・パフラヴィーには、それを成し遂げる強い意志が感じられない、と彼女は言っているのだ。

もっとも、レザー・パフラヴィーの融和的な姿勢には、イスラム体制内部から離反者を誘い出し、体制転換を早期かつ円滑に進めたいという政治的思惑もあるだろう。

だが、長年にわたり横暴をはたらいてきたイスラム勢力に、何の代償も払わせることなく手を差し伸べるとなれば、今度は国民感情が納得しない。

それでもレイラさんは、レザー・パフラヴィーの即位による王政復古に全面的に賛成する。その理由を、日本びいきの彼女はこう語った。

「いつも疑問に思うの。イラン人は、そもそも王制という政治体制を、どれだけ分かったうえで王政復古の話をしているのかしらって。

王政復古といっても、今どき国王親政なんて時代遅れ。あくまでも国王は象徴的な存在として君臨し、首相と議会に強い権限を持たせる。これが、現代の王制の常識でしょ。

私は、日本の天皇制をモデルにイランの王制を復活させるのが一番いいと思うの。もちろん、日本の天皇が一二六代目なのに対し、レザー・パフラヴィーはまだ三代目。歴史の重みが全然違うのは分かってる。

それでも、天皇が政治から遠ざけられたことによって、かえってその聖性が増し、敬愛の対象となっているのは示唆的だと思う。私は、レザー・パフラヴィーにも、日本の天皇のように誰からも愛される存在になってほしい。

イスラム勢力や旧体制の残党との闘いは、別に国王本人がやらずとも、議会が有能な首相を選出して、その指示で進めればいいんだから。

とにかく王政復古を唱えるなら、それくらいのことまできっちり考えておかなくちゃダメね」


日頃から、「日本こそ人生の処方箋（せん）」と語るレイラさんらしい考え方だ。

私も彼女と同様、イラン人は王政復古について、冷めた頭でもう少しよく考えたほうがいいと思っている。

日本や英国、タイなど歴史ある君主制国家を研究し、なぜイランに王制がふさわしいのか、王制となった場合のモデルはどこの国なのか、議論するのもいいだろう。

そのうえで王政復古の選択をするには構わないが、現状はレザー・パフラヴィーのイメージと、旧体制への漠然としたノスタルジーが先行してしまっていることに、私は強い危機感を覚える。

四十余年前、ホメイニに熱狂して反シャー運動に身を投じ、実態のよく分からないまま「イスラム共和制」を支持してしまったことを、イラン人は今激しく後悔している。

であるならばなお、同じ轍（てつ）を踏まないために、次なる体制の在り方について、イランの歴史や政治風土を踏まえたうえで慎重に議論していくことが必要だろう。

陰謀論としてのイスラム革命

王政復古は、イスラム共和国なき後のシナリオとして最も可能性の高いものではあるが、もちろん唯一の選択肢ではない。世俗的な共和制を望む声も少なくないし、なかには共産主義や、イスラム社会主義を標榜(ひょうぼう)する勢力もある。

また、そもそもこの国の政治にまったく関心がなく、自ら国外に移住して身を立てることだけを考えているような人も、一〇代から二〇代を中心に相当な数に上る。

それでも、圧倒的多数のイラン人に共通しているのは、「イスラム共和国は〝オワコン〟」という認識だ。それは何も首都テヘランや大都市の人々に限った話ではなく、地方都市であれ農村であれ同じである。

革命直後に始まったイラン・イラク戦争は、イラン人にとって未曽有の祖国防衛戦争であり、八年間で二〇万人近い犠牲者を出した。

この痛ましい歴史は長年、イラン人の思いを革命体制に繫(つな)ぎ止める役割を果たしてきたが、今やそれすらも政治的な意義を失って久しい。

ただ、人は多大な犠牲を払って手に入れたもの（たとえば革命体制）を自ら手放そうとす

ると き、何らかの口実を必要とする。

そうでなければ、払った犠牲の重さに耐え切れなくなるからだ。本来ならば、代償をかえりみなかった自分の非を責めるべきだが、人間はそこまで強くない。

いちばん簡単な逃げ道は、自らを「被害者」と考えることだろう。騙されていた、仕組まれた、裏切られた、やむを得なかった——。理由は何でもいい。とにかく原因を自分の外に求めるのだ。

第二次世界大戦後の日本が、まさにそうだった。三〇〇万人以上といわれる膨大な犠牲者を出した「一五年戦争」に屈辱的な敗北を喫し、有史以来不滅といわれた「皇国」が瓦解(がかい)してゆく様を目の当たりにした日本人はどうしたか。

開戦を熱狂的に支持した事実は棚に上げ、あくまでも自分たちは騙されて戦地に駆り出された被害者であるとして、すべての罪を軍部や戦犯になすりつけたのではなかったか。真摯(しんし)な反省に立った日本人がいなかったとは言わないが、少なくとも形式上はそうしたのである。

同じことが今、イラン人たちのあいだで起こっている。「われわれは、騙されて革命に参加しただけだ」。彼らは、革命体制の行き詰まりを前に、未曾有の大衆運動と言われたイスラム革命を、そのように総括しようとしている。

それを端的に示すものが、昨今、イラン人のあいだで広く流布している、「ホメイニはイラン人ではなかった」という珍説である。

もっとも、この説自体はイスラム革命以前からあったもので、決して新しいものではない。それによれば、ホメイニの先祖はインド出身で、ペルシア語も話せず、ムスリムですらなかったという。

イランへ移り住んだのはホメイニの祖父で、中西部の町アラークにあった英国領事館で使用人として働いていたらしい。これは、当時のインドが英国領であったことと関係しているといわれる。

ホメイニの父は、有力なイスラム法学者だったが、インド系としてのアイデンティティを失わなかったとされ、ホメイニ自身も若いころは自署に「ヘンディ（インド人）」と書くことがあったという。

だが、重要なのはインド系というホメイニのルーツそのものではない。ホメイニ「インド人説」の本質は、彼の一族と英国との不透明な関係にある。

曰く、ホメイニ一族は、英国領事館に出入りしていた祖父の代から英国と内通しており、英国はイランに政変を起こす目的で、平凡なイスラム法学者に過ぎなかったホメイニを革命家に仕立て上げた。われわれイラン人は、まんまとそれに騙され、恐るべき政教一致体制を押しつけられることになったのだ。英国と売国奴ホメイニ、許すまじ――。

しかし、私自身はこうした陰謀論の類にはほとんど関心がない。少なくとも、英国がホメイニの背後で糸を引いていたことを裏付ける確固たる史料が見つかるまでは、傾聴するに値しないと思っている。

もちろん、古今東西、革命と呼ばれるような大政変の際には、周辺国や大国の間で様々な思惑が交錯するのが常であり、イスラム革命もその例外ではなかっただろう。

ただ、そのことを考慮しても、あたかも革命そのものが英国の「お膳立て」によって始まったかのように考えるのは、やはり無理があるのではないか。

たとえ英国の関与があったとしても、イラン人自身の主体的な参加なくして、革命は成就しえなかったはずである。国民がホメイニを熱狂的に支持した事実、それはどんな陰謀論をもってしても消し去ることはできない。

誰が革命を起こしたのか

この陰謀論には、まだまだ続きがある。

仮に英国がホメイニを担ぎ出して革命を企てたのであれば、そこにはよほどの政治的動機がなければならないだろう。

陰謀論を信じる人たちの説明はこうだ。

当時、欧米先進国の経済は、世界的な石油価格の高騰により打撃を受けていた。この価格引き上げを主導したのは、OPECに多大な影響力を持っていたモハンマド・レザー・シャーだった。その一方で、シャーのイランは石油収入の増大で急成長を遂げており、いずれは先進国の地位を脅かす存在となることが予想された。

そうなる前に、シャーを取り除かなければならない。欧米先進国は、そう決意した。もちろんその後任は、シャーのように頭の切れる有能な人物では駄目だ。反対に、イランを半永久的に途上国の地位に縛りつけておくような、頑迷固陋（ころう）な政治音痴こそ、次の指導者にふさわしい。

そこで、代々英国と良好な関係にあったホメイニ一族に白羽の矢が立った。フランスはイランを追われていたホメイニの亡命先となり、その帰国を手助けした。長年にわたりシャーを支援してきた米国も、手のひらを返したようにシャーを見殺しにした。

こうして革命が「成功」し、イランは欧米諸国の望んだとおり成長軌道から転落、大国化への道を閉ざされたまま今にいたるのだ。

たしかにシャーのイランが、先進国の目に脅威と映っていたことは事実だ。シャー個人の、自信に満ち、ときに挑発的な言動が、こうした国々の神経を逆なでしていたであろうことも想像に難くない。

また、英国と米国は、歴史的にイランに対して露骨な内政干渉を繰り返してきた国でもある。レザー・シャーの即位（一九二五年）と、その退位（一九四一年）の背景には英国の強い意向が働いていた。

とりわけイラン人が鮮明に記憶しているのは、モハンマド・レザー・シャー期に石油国有化を実現した愛国的首相モサッデグの失脚だ（一九五三年）。このクーデターの計画、実行にも英米両国が深く関与していたことは、すでに歴史的に実証されている。

その後、革命まで続くことになるシャーの長期にわたる独裁も、米国という強力な後ろ盾なくしては考えられないものだった。

イランの生殺与奪は、英米両国の手に握られている——。それは、イラン人が歴史を通じてたどり着いた、揺らぐことのない結論である。

そのこと自体は否定しないものの、私にはなおひとつの疑問が残る。それは、「イランの革命体制は果たして今も英米（または欧米先進国）の利益にかなっているのか」ということである。

仮に彼らが革命の黒幕だったとするならば、今日もそこから何らかのメリットを享受していると考えるのが自然だろう。

だが実際はどうか。イスラム共和国の公式イデオロギーでは、英米両国は名実ともに最大の「敵国」と位置づけられ、米国とは国交すらない。

一方、英米側もまた経済制裁によってイランに圧力をかけており、少なくとも表向きはイランと友好関係にあるとはいえない。

そればかりか、イランは制裁下でロシアや中国との関係を強化したため、英米は間接的にこの二大国を利するかたちになってしまっている。

つまり、現代のイランは、シャーの時代よりもさらに厄介な存在となっているのであり、これでは陰謀論の説く欧米側の目論見（もくろみ）はすっかり外れているように見える。

これに対して、陰謀論は次のように反論する。

欧米先進国、とりわけ米国にとって、イランが中東の不安定要素であることは、むしろ都合がいい。

ちょうど北朝鮮が、極東の平和を脅かせば脅かすほど、日本や韓国の対米依存度が高まるのと同じように、イランが危険な存在であればあるほど、サウジアラビアやイスラエルにおける米国の影響力は強くなるからだ。

対イラン経済制裁も、イランの体制を生かさず殺さず、絶妙な塩梅で続いている。なぜなら、本当にこの体制が崩壊して困るのは、米国のほうだからだ。

つまり、米国はあえて火種となりそうな国を野放しにし、反米を叫ばせておくことによって、むしろ恩恵を得ているというわけで、なるほどたしかに一理ある話ではある。

ただ、それはイランをめぐる現在の国際情勢についての説明としては正しくても、四十数年前に欧米諸国がイランの王政転覆を画策し、よりによってイスラム革命を後押しした動機にはならない、と私は思う。

そこまでしなくても、たとえばシャーを退位させ、まだ一〇代だった皇太子レザーを即位させて傀儡にするなどしたほうが、イランは欧米にとってはるかに「御しやすい」国になっていたはずである。

イランを〝恐れる〟大国たち

私は、これほどまでに多くのイラン人が陰謀論を信じるようになった理由は、その内容の信憑性とは別のところにあると思っている。

ひとつは先ほども述べたように、革命が外国勢力によって引き起こされたと考えることによって、不都合な歴史に対するイラン人自身の責任を回避するのに、陰謀論はまことに好都合だということである。

革命世代のみならず、革命を知らない若い世代も、「イスラム共和国という悪夢」を、イラン国民が自らすすんで選びとったものだとは思いたくない。陰謀論は、彼らにとっていわば「歴史の免罪符」として機能しているわけだ。

二つ目の理由は、非常に逆説的なことではあるが、陰謀論によってイラン人は、一国民としての偉大さと、イランという国の〝計り知れないポテンシャル〟に陶酔することができるという点である。

通常、大国の利害に翻弄される国は、弱小国である。

ところが、陰謀論は言う。「欧米先進国はイランの国力を脅威に感じていたからこそ、革命による体制転覆を画策したのだ」と。

つまり、イランは決して弱小だったのではなく、むしろ大国が恐れをなすほど潜在力のある国と見なされていた。

革命さえなければ、今ごろイランは中東の地域大国どころか、先進国の仲間入りを果たしていたに違いない。本来われわれイラン人は、それほど優秀なのだ――。

こうした考え方は、見方によっては単なる負け惜しみである。だが、革命後、イランの国際的な地位の低下とともにすっかり自信を喪失しているイラン人たちが、かつての誇りを取り戻そうと躍起になる気持ちもよく分かる。

その意味では、陰謀論も、あの『シャー・ナーメ』を軸とする古代回帰の風潮と、根っこは同じと見るべきだろう。かつてのイランは、すごかった。今あるイランは、本来のイランじゃない。イランの底力は、こんなもんじゃない――。

古代礼賛と陰謀論的革命史観の両者を貫く、この通奏低音に耳を傾けることなくして、今日のイラン人のメンタリティを理解することはできない。

ただし、彼らのメンタリティを理解することと、歴史を正しく認識することは、もちろんまったく別の話である。

イラン人のなかにも、陰謀論的な見方を全否定はしないまでも、より冷徹な目で史実を直視し、あくまでも革命の原因を当時のイラン社会のなかに求めようとする人たちは、一定数存在する。

アミール君は、革命当時のイラン人について次のように語る。

「あのころ、たしかにイランは経済大国としての地歩を固めつつあり、国民の生活水準も飛躍的に向上していた。でも、彼らの文化と思考はといえば、それはまだまだ伝統的なものだったんだ。

僕の両親もそうだけど、当時のイラン人は、イスラム法学者といえば無条件に優れた人間と信じて疑わないようなところがあった。だから、政治家や大学教授ではなく、イスラム法学者に社会正義の実現を期待したのは、ある意味、当然のことだったと思う。

ホメイニを支えていたのは、どこか特定の国というよりも、イラン国民の無知と未熟さだった。彼らの知的レベルがもっと高ければ、あの革命は起きていなかった、と僕は思っているよ」

一方、レイラさんのイラン人に対する評価は、さらに手厳しい。

「イラン人はね、過ちを過ちとして認めたがらないの。そういう国民性なの。『私が間違っていました。ごめんなさい』が、言えないのよ。

あの革命を熱狂的に支持していた世代の誰が、今の私たちに謝罪してくれた？　ホメイニのせい？　欧米のせい？　誰もが人のせいにするばかりで、ちっとも反省してないんだから」

繰り返しになるが、不都合な歴史を直視し、原因を自らの内に求めるのは、いかなる国民にとっても容易なことではない。しかし、その痛みに耐え、弱さを克服しようと努力するところから、歴史の新たな一ページが始まると思うのは、私だけではないはずだ。

「アメリカに死を！」を嗤う――イラン人の考える「本当の反米」

ところで、反米国家としてのイメージが強いイランだが、実際にはイラン人の多くが、われわれ日本人と同様に、米国、そしてヨーロッパの文化に対して、親しみと強い憧れを抱いている。

その証拠に、ペルシア語にも古くから「西洋かぶれ」という言葉（ガルブ・ザデギー）があり、ときに親しみを通り越して、欧米人に媚（こ）びへつらうような態度を取るイラン人は少なくない。

言うまでもなくイランは西アジアの国であり、欧米とは歴史や宗教の面で大きく異なっている。しかし、概してイラン人は、アジアよりは欧米のほうが、自分たちの文化との親和性が高いと考えている。というか、そうあってほしいと思っている。

この非欧米人にありがちな、コンプレックスに裏打ちされた欧米志向は、（戦前・戦中の一時期を除き）ひたすら「脱亜入欧」の歴史を歩み続けてきた日本人ならば、容易に理解できることだろう。

ただし、われわれはその結果として晴れて先進国の仲間入りを果たしたばかりか、「ジャパン・アズ・ナンバーワン」だの、「クール・ジャパン」だのともてはやされ、逆に欧米の羨望（せんぼう）を集めるまでになった（と感じている）。

それに対し、イランの場合には、一九世紀以降は英国とロシア（ソ連）、二〇世紀に入ってからはこれに米国を加えた三大国の利害に翻弄され、なかばそれらの属国ないし半植民地的な地位に甘んじてきた歴史がある。

しかも、すでに述べたように、イラン人は、こうした国々によって自国の発展が阻害されてきた、と明確に認識しているのであり、そうした状況は今なお現在進行形で続いているとすら考えているのだ。

だから、同じ欧米志向といっても、イラン人と日本人のそれは、似ているようで実は相当、異なっている。

仮に、欧米先進国の仲間入りを果たした日本を、「憧れの男性と結婚できた女性」にたとえるならば、イランは「憧れの男性から暴力をふるわれ続けている女性」なのである。

イランで大規模な反体制デモが発生するたびに、欧米諸国は決まって「われわれは自由を求めるイラン国民とともにある」などといった声明を出す。スカーフに端を発した二〇二二年のデモの際もそうだった。

だが、いまだかつて欧米諸国からイラン国民に対して実態ある支援が行われたことはなく、イスラム体制の横暴に歯止めがかかったためしもない。

もっとも、イラン人からしてみればそんなことは当然で、自分に暴力をふるい続ける男の

〝甘いささやき〟など、あてにするほうが間違っているというものだ。

彼らは言う。「そもそもイスラム革命以降、連綿と続く米国主導の対イラン経済制裁が、イスラム体制にどれほどの打撃を与えてきたというのか。まともに制裁の余波を食らってジリ貧の暮らしを強いられているのは国民のほうで、政府は案外ピンピンしているじゃないか」と。

欧米諸国は、いったい誰の味方なのか――。イラン人の欧米観の根底に、こうした不信感が横たわっていることを見落としてはならない。

しかし、だからといって、即座にこれをイランの公式イデオロギーとしての「反米」と結びつけて考えるのは誤りだ。

ガーセム・ソレイマニ暗殺のところでも触れたように、「反米デモ」としてマスコミで取り上げられるような集会の多くは官製であり、民意を反映しているとは言い難いからだ。

イスラム革命当初はいざ知らず、現在では、わざわざ街頭に繰り出して反米を叫ぼうというイラン人は、全体から見れば間違いなく少数派である。

「反米デモ」に対して一般のイラン人が抱くイメージは、ちょうど日本人が右翼の街宣を眺めるときのそれに近い。「ちょっと変わった人たちが、また何かやっているな」という感じである。

もちろん、イランの場合は政府の肝いりなので、右翼とは違いそれなりの規模にはなる。テヘランでは、「反米デモ」のたびに当局から報酬を受け取り、地方から無料の送迎バスで駆り出されてくる人たちも、大勢見かける。数百人、いや数千人規模の〝サクラ〟である。

余談になるが、イラン人は彼らを揶揄して、「サンディス・ホル（サンディス好きな連中）」と呼んでいる。

サンディスとは、イランで昔から販売されている安物のジュースの商品名で、かつて当局からデモ隊に景品として配られていたことから、この言葉が生まれた。「反米デモ」は、今やそれほどまでに馬鹿にされているのだ。

サイレント・マジョリティーを構成する理性的なイラン人たちは、そんな政治ショーに参加したところで、経済制裁が解除されたり、米国がイランに歩み寄ったりするなどとは、ゆめゆめ思っていない。

むしろ彼らの不満の矛先は、いつまでも制裁解除を実現できない（もしくは、実現する気のない）イラン政府に対して向けられている。

「イラン人のために仕事をすべきは、まず第一にイラン政府でなければならない」。そのように考える彼らは、たとえ欧米への不信感を抱いていても、それを官製デモで表明しようとは思わない。

さらに、最近では、イスラム体制と欧米諸国は、本当は昵懇の仲なのだと考える人も少なくない。

事実、イラン政府の要人たちの多くが、その子息を欧米に留学させており、彼らが現地政府の庇護のもと、VIPとして贅沢三昧の暮らしを送る様子は、イラン国内でたびたびスキャンダルとなってきた。

だから、イラン人は言う。「結局、イスラム体制と欧米諸国は、右手で剣を振りかざしながら、左手で握手をしているようなものだ。その茶番劇のなかで、誰からもかえりみられることなく、いつまでも捨て置かれているのがイラン国民にほかならない」と。

もし、イランに反米（または反欧米）なるものがあるとすれば、それは、陳腐で単細胞的なスローガン「アメリカに死を！」に象徴されるような、イデオロギーに取り込まれた「反米」ではない。

本当の反米は、イスラム体制と裏で手を組み、ときにその延命に手を貸しているようにも見える欧米に対する、静かな、しかし呪詛にも似た、根深い不信感に由来するものなのだ。

二一世紀の「宗主国」――中国とロシア

では、イラン人はどの国を信用の置けるパートナーと見なしているのか。

ご承知のように、イランの友好国はロシアと中国であるというのが、一応、国際政治の常識となっている。しかし、読者の皆さんはすでにお気付きだと思うが、これらの国に対して一般のイラン人が抱くイメージは、欧米先進国よりもさらにひどい。

何しろ中露両国は、今やイラン国民最大の敵ともいえるイスラム体制を、強力にバックアップしているのだ。

バックアップなどと言うと聞こえはいいが、イラン人はなかば自虐を込めて中露を「宗主国」、イランをその「植民地」と呼ぶ。

低俗なたとえばかりで恐縮だが、私などにはイスラム体制が、内弁慶(うちべんけい)なDV夫のように見えることがある。この体制は、イラン国民の前では威張り散らし、平気で手を上げるくせに、中露のほうを向くや一転、猫なで声ですり寄るのだ。

ロシアは、今でこそイランの友好国ということになっているが、一九世紀以降、一貫してイランへの侵略を繰り返し、その領土を蚕食してきた国である。

同時期、英国もロシアとともにイランの主権を蹂躙(じゅうりん)してきたが、ロシアの場合は領土的野心が強かった分、イラン人からは英国以上にタチの悪い国と見られている。

イランにおける英国のイメージが「狡猾(こうかつ)」だとすれば、武力の行使を躊躇(ちゅうちょ)しないロシアのそれは、まさに「野蛮」という言葉がふさわしいだろう。

すでに述べたように、英国や米国に対しては、イラン人はどこか愛憎半々のようなところがあって、その文化的な所産から何がしかの学びを得る用意も、なくはない。だが、ロシアの位置づけは明らかに異なる。

たしかに腕っぷしは強いが、ただそれだけのことであって、社会主義が輝いていた時代ならばいざ知らず、今となってはイランにプラスになるようなものは持ち合わせていない。それがイラン人の一般的なロシア観である。

にもかかわらず、イラン政府は、銀バエのように揉み手でロシアのご機嫌をとる。最近の例では、ウクライナ戦争を戦うロシアに、イランは自国製のドローンなどを供与しているといわれる（現在はロシアも国産化に着手したようだ）。

強盗に押し入られた挙句、自らも強盗の手足となって働くような今のイラン政府の姿を、国民がどんな目で見ているか、もはや説明するまでもないだろう。

一方、中国はイラン外交において後発のプレーヤーだったが、今や英米はもちろん、ロシアをも差し置いて、イランにもっとも影響力をもつ国となっている。

中国がほかの国々と異なるのは、そのプレゼンスがイラン人の日常生活において可視化されていることだ。

街なかには中国製品があふれ、地下鉄やバスなど、都市の交通網も中国企業との協力によって整備されている。

経済的な結びつきが強まるにつれて、中国へ出張や買い付けに出かけるイラン人も増えてきた。このビジネスチャンスに乗り遅れまいと、若者たちのあいだでは中国語学習熱も年々、高まりつつある。

イランに暮らす中国人の数も、この一〇年ほどで激増した。テヘランや、イラン南部の経済特区では、中国人の経営する商店やレストランなども目立つ。

しかしながら、イラン人一般の対中感情は決していいとは言えない。

中国を「信頼できるパートナー」などと呼んでいるのはイラン政府と一部のビジネスパーソンくらいで、多くの国民は中国人を、経済制裁下で生じた空隙（くうげき）を突いてイランを食いものにする、「招かれざる客」と呼んではばからない。

とくに中国人が、大挙して押しかけてきながら自分たちだけのコミュニティーに閉じこもり、イラン社会と積極的に交流しようとしないことを、イラン人は忌々しく思っている。

だが、中国に対する嫌悪を決定的なものとしたのは、二〇二〇年初頭に始まったコロナ禍と、奇しくもそれとほぼ時を同じくして報道が過熱することになった「イラン・中国二五カ年包括的協力協定」の存在である。

イランでコロナの感染者が確認されると、あれだけ大勢いた中国人たちは、こぞって中国政府の用意した特別機に乗り込み、五星紅旗を振りながら逃げるようにイランを後にした。

余計な忠告かもしれないが、こういう無節操な行動がイラン人の神経を逆なでしていることに、中国人は早く気づくべきだ。

コロナ禍で生活が一変すると、中国に対するイラン人の日頃の鬱屈した感情は、爆発寸前まで高まることになった。

「ネコやネズミ、コウモリにゴキブリ。中国人はゲテモノばかり食っているから変な病気にかかるんだ!」

普段は冷静な私の友人たちも、あのころだけは、怒りに任せてそんな悪態をついていた。

そして、彼らをついに完全な反中に転じさせることになったのが、同年夏にロウハニ内閣(当時)で正式承認された、「イラン・中国二五カ年包括的協力協定」である。

「一帯一路」政策の一環として提案されたこの協定の内容は、向こう二五年間で、中国がイランのエネルギー開発やインフラ整備に投資する見返りに、イランは原油や天然ガスを安価で中国に提供するというものだ。

ところが、海外メディアのスクープによって、協定にはこのほかにも、ペルシア湾に浮かぶキーシュ島の租借や、中国によるイラン治安部隊への支援、さらに五千人規模の中国人兵士のイラン常駐なども含まれていることが明らかになったため、イラン人のあいだに激震が走った（イラン政府は、こうした内容を「事実無根」として否定している）。

国民は、イランをまるごと中国に売り渡すような包括協定を、「イラン近代史上最大の屈辱」とされるトルコマンチャーイ条約（一八二八年にロシアと締結。この条約でイランは西北部の領土の大半を喪失し、以後ロシアへの従属が決定的となった）になぞらえ、世論は一気に激しい反中へと傾いた。

しかし、すでに既成事実化されていた同協定は翌二一年に両国政府のあいだで調印、発効することになった。イラン政府は、今なお協定の詳細を公表しておらず、国民は完全に蚊帳の外に置かれたままだ。

反中感情も収まるところを知らず、これまでに大規模な暴動など起きていないのが、むしろ不思議なくらいである。今後、再びイランで反体制デモが発生するようなことがあれば、それは容易に反中デモ的な様相をも帯びるのではないか、と私は予想している。

先を越された！――中東諸国への屈折した思い

一方、イランと歴史的、文化的に近しい関係にある中東諸国との関係も、イスラム革命を境に大きく変容した。

革命後のイランは、イスラムをイデオロギーに中東地域での影響力拡大を図ってきた。とくに、パレスチナや、アサド政権のシリア、レバノンおよびイラクのシーア派組織、そしてイエメンのフーシ派などが、イランの支援を受けていることはよく知られている。

しかし、当のイラン国民はといえば、こうした国々に対して、ほとんど何のシンパシーも感じていない。反体制デモのたびに必ず叫ばれるスローガンのひとつ、「わが命、捧げたい！　ガザでもレバノンでもなく、イランのために！」は、そのことを象徴している。

信じられないかもしれないが、二〇二三年以来続くイスラエルによるガザ侵攻では、若者を中心に多くのイラン国民がイスラエルを熱狂的に支持している。

もちろんその理由は、パレスチナ支援を続けるイラン政府がそもそも彼らの敵だからで、ここまで来るともはや「坊主憎けりゃ袈裟まで憎い」式の感情論に思えなくもない。

ただ、考えてみればパレスチナ人やレバノン人も、イスラム教徒とはいえ一般のイラン人にとっては所詮、外国人である。「イラン政府は、外国人ではなく、まずは食うや食わずのイラン人を救え」という論理は至極まっとうではある。

しかも、イラン政府が支援する外国人というのは、実はみなアラブ人である。第二章でも触れたように、一般のイラン人は基本的にアラブ人が好きでないばかりか、イスラム体制そのものを「アラブ人によるイラン支配」とすら考えているのだ。

二〇二二年のデモの際には、この説を裏付けるかのように、アラビア語を話す治安部隊員の姿をとらえた動画が拡散されたため、イラン人の反アラブ感情は一層激しくかき立てられた。

どうやらイラン当局は、「治安部隊がイラン人だとデモ隊に対して非情に徹しきれない」と考え、国外で養成した子飼いのアラブ人勢力の一部を、デモ弾圧のために利用しているようなのだ。

一方、サウジアラビアやＵＡＥ（アラブ首長国連邦）のような、経済発展著しいペルシア湾岸諸国に対しては、イラン人はかなり屈折した感情を抱いている。

同諸国の国力は、イスラム革命まではイランに大きく水をあけられていた。しかし、革命後、イランが反米に転じると、その対岸に位置していた国々は米国との関係を強化することで経済発展を実現、結果としてイランとの立場は完全に逆転することになった。

ペルシア語のＳＮＳでよく見かけるのが、約三〇年前と現在のドバイの街並みを比較した写真だ。かつてのドバイには、現在のような高層建築はひとつもなく、ただ茫漠たる荒野が広がるばかりなのだが、投稿はここで終わらない。

画像をスライドさせると、今度は約五〇年前と現在の、イランの湾岸都市アバダンを写した二枚の写真が現れる。イラン人はそれを見て、深いため息をつく。

何しろ、かつてはドバイとは比べものにならない大都市であったアバダンが、今は砂ぼこりにかすむ、さえない田舎町に衰退してしまっているのだから。

もちろん、この手の投稿には印象操作がつきものなので、この写真が必ずしも現実を反映しているとはいえないだろう。

だが、「裸足のアラブ人」などと呼び、長年にわたりあたかも〝野蛮人〟のごとく軽蔑してきたアラブ人に、いつのまにか先を越されてしまったイラン人の口惜しさを、こうした写真以上に端的に表現したものはない。

ところで近年、湾岸のアラブ諸国は、ペルシア湾に替わり「アラビア湾」なる呼称をさかんに用いており、一部の西側諸国もこれに配慮し、「アラビア＝ペルシア湾」などと併記するようになっている。

これにはイラン政府も強く反発しているが、イラン人はその原因もまた、イランとアラブ諸国との力関係が逆転してしまったことにあると考えている。

彼らの目からすれば、「金持ちになったアラブ人たちが図に乗りだした」というわけである。言うまでもなく、この構図は日本海と「東海」をめぐる日韓の論争とも共通する。

サウジやＵＡＥに抱いているのとほぼ同じ感情を、イラン人は西の隣国トルコに対しても持っている。

もっとも、イラン人はトルコ人に対して差別感情はほとんどない。イランとトルコは、二

○世紀以降、ともにレザー・シャーとアタテュルクというカリスマ的指導者をいただき、近代化への道を突き進んできた。

そのためイラン人自身も、長らくトルコ人を、互いに切磋琢磨し合う、よきライバルのように考えてきた。正確に言えば、イスラム革命以前はイランのほうが、軍によるクーデターなどで混乱するトルコよりも、やや先んじているように見えた。

しかし、革命と戦争、そして制裁によりイランが長い停滞の時代に入る一方、トルコはまがりなりにもアタテュルク以来の世俗主義を貫き、順調に発展を遂げることになった。

現在、トルコは自らをヨーロッパの一員と見なし、EU加盟を目指すなど、もはやイランなどその眼中にすらないかのようだ。

今日、イラン人にもっとも人気のある旅行先はイスタンブルである。彼らはそこで、イランにはない自由を謳歌する。潮風に吹かれながら、お気に入りのファッションで町を歩き、昼間はショッピング、夜はクラブでお酒を飲んで踊り明かす。

移住先としてトルコを選ぶイラン人も非常に多い。地理的にも文化的にもイランと近く、物価もさほど高くないトルコは、ある意味では欧米より魅力的な移住先だろう。

だが、イランがトルコに競り勝っていた時代を知るイラン人たちは、若い世代が、今やトルコに対してすら憧れを抱くようになったことを、苦々しい思いで眺めている。

ちなみに、読者の皆さんはトルコ旅行のハイライトとして日本人にも人気の、「メヴレヴィー教団の旋回舞踊」をご存じだろうか。円筒形の帽子をかぶり、スカートをはいた教団の信者たちが、音楽にあわせてクルクル回転しながら踊る、あれである。

この教団の創始者メヴラーナーは、第二章の神秘主義詩のところでご紹介したモウラーナーのことで、実はイラン人なのである。

もっとも、その出生地は現在のアフガニスタンとも、タジキスタンともいわれ、長らくアナトリアで活躍したことも事実だが、少なくとも母語はペルシア語であったことから、イランでは彼はイラン人ということになっている。

それゆえに、現代のトルコがモウラーナーをあたかもトルコ人であったかのように世界に向けて喧伝(けんでん)し、トルコ観光のダシに使っているのが、イラン人としては面白くない。

これ以外にもトルコは、アナトリアが広義のイラン領に属していた時代の史跡などを、「トルコ人の遺産」と主張することがあり、しばしばイラン人を憤慨させている。

彼らはトルコ人を〝歴史泥棒〟と批判するが、そこには、経済的に成功したのみならず、世界屈指の観光立国としても人気を集める隣国に対する、強烈な嫉妬も含まれていることは言うまでもない。

遠くて近い国――イラン人が親日になったワケ

ここまでお読みになった読者は、きっと思うに違いない。

「イラン人は、欧米も、中露も、近隣諸国も嫌いなのだとしたら、いったいどこの国が好きなんだ？」と。

これは本当に、嘘偽りなく、主観を排して、客観的に、そして公平無私な立場で言わせてもらうが、答えはズバリ、日本である。

何を隠そう、この私も、日本人が大好きなイラン人たちのおかげで、なんとか今日まで生き永らえることができたようなもので、他の国だったら今ごろ路頭に迷って野垂れ死んでいたかもしれない。

彼らが親日である理由はいろいろあると思うが、これまでも見てきたように、要するにイラン人は、イランと付き合いが深かった国のことは、だいたい嫌いなのである。

ペルシア語のことわざに、「離れていればこその友情」（ドゥーリ・オ・ドゥースティ）というのがある。くっつきすぎず、適度に離れていたほうが友情は長続きする。

イランと日本がまさにそれで、両国の地理的・歴史的な距離が、親日感情の背景にあることとは間違いない。

もちろん、イランと関わりが薄かった国は日本以外にもたくさんあるわけで、イラン人が日本に惹かれる理由は、これだけではない。

古くは、日露戦争での劇的な勝利、焼け野原からの驚異的な戦後復興、そして日本でも小説・映画化された日章丸事件（一九五三年。石油国有化を断行したイランに対し、英国が経済制裁を科すなか、これを不当とする出光興産が独自にイランへタンカーを派遣した事件）などが、イラン人の称賛を集めてきた。

イスラム革命前は、イランに滞在する日本企業の駐在員も多く、彼らの誠実でフレンドリーな人柄に接したことで日本を好きになったというイラン人も少なくない。

また、九〇年代くらいまでは、イランのほとんどの家庭には日本製の家電製品があり、何十年と使っても壊れない性能のよさも、日本のイメージ向上に貢献していたようだ。

さらに、黒澤明や小津安二郎の映画作品、NHKドラマ『おしん』、それにいくつかの日本製子供向けアニメなどがイランでテレビ放映されていたことも、日本人の暮らしや文化を紹介するうえで、大きな役割を果たした。

だが、何といっても決定的だったのは、一九八〇年代の終わりごろから日本に大挙してやって来たイラン人労働者の存在だろう。人によっては一〇年以上日本で働き、われわれの言語や習慣、そして文化を余すところなく吸収した。

幸いなことに、こうしたイラン人たちの多くが、帰国するころには大の日本びいきになっていた。そして、自らの友人や家族、親戚たちにも、日本人の規律正しさや礼節を重んじる心などについて、その後何年、いや何十年にわたり、繰り返し述懐してくれたのである。

こうして、イランにおける親日の裾野は大きく広がることになったが、今ではあまりに日本が過大評価されているので、私などは気恥ずかしい思いをすることもある。

たとえばイラン人は、イラン社会に向けて何かを訴えたいときには、決まって「日本人はこうしているが、われわれはどうか」という論法を使う。

曰く、「日本人は教師を厚遇することで教育の質を保っているが、イラン人はどうか」、「日本人は老いてなお生きがいをもっているが、イランの高齢者はどうか」、さらには「日本の側溝を流れる水は魚が棲(す)めるほど澄んでいるが、イランの側溝はどうか」等々。

これが、「米国人は…」「英国人は…」「中国人は…」では、誰も耳を貸さない。事実かどうかはさておき、何としてもここは「日本人は…」でなければならない。それくらいイラン人は、日本人をあらゆる意味で模範的な人々と考えている。

最近は、インターネットを通じて多くの若いイラン人が、ほぼリアルタイムで日本のサブカルチャーに親しんでいる。

とりわけ人気なのは、やはりアニメだ。

『千と千尋の神隠し』（宮﨑駿(みやざきはやお)監督）や『君の名は。』（新海誠(しんかいまこと)監督）のような、世界の映画史に残る名作はもちろん、『ナルト』、『ワンピース』、『呪術廻戦』、『デスノート』、『進撃の巨人』、そして『鬼滅の刃』など、テレビ放映される人気作品もすべて違法サイトから（！）無料でダウンロードすることが可能だ。イランの若者たちは日々、これらの最新作が公開されるのを今か今かと心待ちにしている。

　アニメを入口として日本に興味をもち、次第に日本語はもちろん、様々な伝統文化、習俗、自然、建築、美術などへ関心を広げていく人たちもたくさんいる。

　そんな彼らが着目したり、疑問に感じたりすることというのが、日本人の私にはたまらなく面白い。あるとき、知人の女性からこんな質問を受けた。

「日本人は、どうして小さな子どもを泣かせて、楽しそうにしてるんですか。子どもがかわいそうです」

　聞けば彼女は、秋田のナマハゲや、節分の豆撒きの様子を見たのだという。そこでは、いい年の大人が化け物に扮して子どもに襲いかかり、泣きじゃくる子どもを見て周りの大人たちが笑っているではないか。

「ま、まあ、かわいそうといえば、かわいそうだけどね。これはつまり、伝統っていうか…」

　一応、説明を試みるものの、私自身よくわかっていないので、うまく言葉にならない。

　あとから考えたのだが、この手の祭りは子どもを泣かせて楽しむためのものではもちろんなく、邪気を払い、不安を取り除くことが目的である。だとすれば、あの笑いは邪気が払われたことに対する、喜びの笑いなのではないか――。

と、まあこんな具合に、イラン人からの予想外の質問がきっかけとなって、私自身が日本の文化を見つめ直すということが、この国で暮らしているとよくある。

とくにイラン人を戸惑わせるのが、日本は世界に冠たるテクノロジーの国なのに、ときに日本人がひどく迷信じみた生活を送っているように見えることである。

時速六〇〇キロの新幹線をつくれるのに、お寺の煙を浴びれば体の悪いところが治ると思っている。一〇個も二〇個もボタンのついたトイレを使いながら、いまだに天の川に人が住んでいると信じていて願いごとをする。人間と会話できるロボットをお披露目したかと思えば、褌一枚の男たちが真冬の祭りで頭から冷水をかぶって気勢を上げている――。

このようなことは、イラン人にはほとんど理解不能である。われわれ日本人からすれば、別に迷信という意識はないし、そもそも大真面目にやっているわけでもない。

そう言うと今度は、「じゃあ、なぜ続けるのですか」と詰め寄られるのだが、とにかく彼らにとって摩訶不思議で興味の尽きない国、それが日本なのである。

こんなに日本が好きなのに

イラン人が日本人に並々ならぬ信頼を寄せ、日本文化に対しても熱い視線を注ぐ一方で、われわれ日本人の大半は、おそらくその十分の一ほどもイランに関心を持っていない。私はこれを「壮大な片想い」と呼んでいるが、本当に残念なことである。

はじめて日本に来たイラン人は、この国でのイランの知名度がいかに低いかを知り、愕然とする。

彼らはまず、「イラン」と「イラク」の違いを説明するところから始めなくてはいけない。これはわれわれが外国人に、日本と中国の違いを説明させられるようなもので、面倒というよりは屈辱的である。

そして、なんとかイランとイラクが別の国だということを分かってもらえたとしても、大方の日本人の頭には「イスラム」と「砂漠」くらいしか浮かんでこない。

だから、イラン人女性が日本でスカーフをかぶっていないと訝しがられたり、イランにも電子レンジがあると言えば腰を抜かされたりする。

一方、国際情勢に関心があって、ある程度イランのことを知っている日本人は、たいていイランに悪い印象を持っている。

イランに関する日本での報道が、イラン人不法滞在者の犯罪や、イラン当局によるテロ支援、米国との対立、あるいは反体制デモなど、〝暗い〟ニュースばかりに偏っているからだ。

こうしたことから、イラン人のなかには、「イラン」という言葉を避けて、自らを「ペルシア人」と紹介する人もいる。「ペルシア」ならば、日本人はまず「ペルシア絨毯」や「ペルシア猫」などを連想するので、いくらか親しみをもってもらえるだろうというわけだ。

だが、「ペルシア」は現在、正式な国名としては使われていない。

ちょうど、日本人が外国人を前に「ヤマトの国から来ました」などと言えば嘘くさくなるのと同じで、やはり「ペルシア人」ではどこか居心地の悪さが残るのだという。

私は日本人に、自らの無知と無関心が、この国に暮らすイラン人にどんな煩悶を強いているか気づいてほしいと切実に思う。

しかも、そんな彼らは世界に類を見ない大の親日家なのである。イラン人と日本人の互いの国に対するこの温度差は、ほとんど悲劇といってよい。

一方、イラン人のなかには、日本に対する好意的な感情は持ちつつも、手放しの称賛を控え、批判的な目で日本を見ている人も少なくない。

イラン人をしばしば失望させてきたのが、日本の外交だ。「米国に決して逆らえない日本に、独自の外交は期待できない」。これは、イラン人にとってもはや常識となっている。

二〇一九年六月の安倍（あべ）首相（当時）のイラン訪問は、たしかにメディアや国民に歓迎された。ただし、歓迎されることと成果を期待されることは別である。イラン人は、日本人がイランへやって来れば、それだけで飛び上がるほど嬉しいのである。

トランプの使者としてイラン入りした安倍の提案は案の定、ハメネイに一蹴され、会談当日にはホルムズ海峡で日本のタンカーが攻撃されるというとどめまで刺されて、安倍はほうほうの体でイランを後にした。

しかし、イラン人のあいだから落胆の声はほとんど聞かれなかった。そもそも成果を期待していなかったからである。彼らは、イスラム体制が米国の〝使い走り〟の言い分に耳を貸すはずがないことくらい、はじめからわかっていた。

イラン人は今、日本の社会や文化も、実は想像していたほど健全なものではなく、多くの弊害を抱えていることに気づきはじめている。

たとえば、孤独死や過労死は、家族や余暇を大切にするイランではまず考えられないことだ。

彼らは言う。「日本人は仕事に打ち込むあまり、何か人間にとって大切なものを見失ってしまったのではないか」と。まったくその通りだと私も思う。

また、イラン人はポルノなどを含む日本の性風俗産業が活況を呈しすぎていることにも、眉をひそめている。イランのように一律に禁止するのもよくないが、日本の場合はむしろ規制したほうがいいレベルだ、と彼らは指摘する。

そして、性産業の隆盛が日本人の抱える孤独や家庭軽視といった社会問題と無関係でないことも、イラン人たちはすでに見抜いている。

親日感情から透けて見えるイラン人のプライド

では、このような社会問題が日本でだけ見られて、イランにはない、その根本的な理由は何なのか。

かつて、私の友人で大学教授でもあるバーラムさんが、こんな面白い話をしてくれたことがある。

「日本人を含む、東アジア人の物の見方は概して実利主義的です。だから、ある物を手にすると、それをどう使い、どう売るかということを考えるのが得意です。当然、国の経済も発展します。

一方、イラン人の物の見方は、精神主義的ということができるでしょう。物を使うことよりも、それを愛(め)でながら、もの思いに耽(ふけ)ったりすることを好むのです。ですから、商売にはあまり向いていないタイプの人間かもしれませんね」

そう言って笑ったバーラムさんは、一三世紀より伝わる詩の一節を引用してみせた。

目の細き人たちは果物を見ん／われらが果樹園を眺むるときに

（サアディー『ガザル集』）

「目の細き人」というのは東アジア人のことで、「われら」は言うまでもなくイラン人である。つまり、東アジア人は果樹園に来ると、まず果物に目が行くが、イラン人は果樹園ののどかな風景そのものを楽しむというわけである（解釈には諸説あり）。

一三世紀の段階で、すでにそんな「東アジア人観」がイラン人のうちにあったことも驚きだが、詩人サアディーの指摘は当たらずといえども遠からず、だろう。

たしかに、日本人のなかには、仕事一辺倒となり、ふと立ち止まって一息つくことすら忘れてしまうような人が多い。果物ばかりに目を奪われてしまうのだ。

一方、少しズームアウトして果樹園全体を見ているイラン人は、家族や友人、そして心の平安があってこその仕事だということを知っている。だから、仕事の効率自体は悪いかもしれないが、一人でストレスをため込むこともない（実際のイラン人は食いしん坊で、とくに果物に目がないことは付け加えておく）。

バーラムさんは、自虐のつもりでこの話をしてくれたらしかったが、私にはむしろひそかな優越感のようなものが感じられた。

事実、サアディーがこの詩で言わんとしていることもそうだ。「われわれは、君たちのようにモノとカネにしがみつくケチくさい人間ではないのだよ。もっと高尚な人生の楽しみ方を知っているのだよ。フッフッフ」。

この点は重要なことで、実は多くのイラン人は心のどこかで、イランのほうが東アジア（日本・中国・韓国）よりも、精神的には優れていると今でも思っている。

もちろんそれは自然なことで、かつて「和魂洋才」を掲げた日本人もまったく同じ発想をもって西洋と渡り合ってきた。親日的なイラン人でさえ、イランの精神文化まで脱ぎ捨てて日本を溺愛（できあい）するつもりなど毛頭ないわけだ。

だが、もし物質文化的にも日本を凌（しの）ぐだけのものがイランにあれば、どんなにいいことか。そうすれば、イラン人として、もっと優越感に浸ることができるのに——。

イラン人たちがそんな夢想に駆られていたある日、国営テレビで、ひとつのトーク番組が放送された。

スタジオには、スカーフをかぶった怪しげな日本人女性。イラン人の司会者に促されるままに、彼女はイランと日本の歴史的な関係について、拙（つたな）いペルシア語で風変わりな説を唱え始めた。

「日本の古都として知られる奈良は、イラン人によって造られた都です。イラン人が、高度な土木技術を、私たちに教えてくれたんです。日本の物質文化の多くはイランに起源をもっています。それればかりか、日本の天皇もイラン人だったんです」

それを聞くや司会者はカメラのほうを向き直り、満足げな表情でうなずく。

私は耳を疑った。

シルクロードを通じて伝わったペルシア文化が、日本の古代史に無視できない影響を及ぼしていたことは事実だ。

だが、日本という国自体がイラン人によってつくられたかのような表現は、どう考えても誇張、あるいは歴史の歪曲（わいきょく）であり、もはや売国的な迎合以外の何ものでもない。

ところが、この番組の切り抜きはその後もＳＮＳを通じて拡散され続け、イラン人の大喝采を浴びることになった。

何しろ、あれほど憧れてきた日本の、物質文化ばかりか国家としての礎を築いたのがイラン人だというのである。しかも、それを主張しているのは当の日本人なのだ。

もっとも、女性の珍説を信じようとしなかった人たちもいる。彼らはこの映像を、「日本を礼賛する風潮に歯止めをかけ、イラン人としての愛国心を涵養（かんよう）しようとする国営放送お決まりのプロパガンダ」として静観していた。

いずれにしても私はこの一件から、イラン人の親日もなかなか一筋縄ではいかないものであることを悟ったのである。

日本を愛してはいるが、それと同時に、できることならばどこかで「イランの優位性」も確保しておきたい――。

これこそが、プライド高きイラン人の親日感情に隠された、偽らざる本音なのだ。

第五章　イラン人の頭の中——謙遜、メンツ、嫉妬心

イラン人は人生を二倍楽しむ

もし誰かに、「イラン暮らしでお前は何を学んだのか」と問われれば、私はこの国の言葉でもなければ、政治や経済、歴史、文学、芸術でもなく、何をおいてもまず「人生を楽しむ術（すべ）」を学んだ、と答えたい。

イラン人は、人生を楽しむのが実にうまい。

人生の楽しみ方というのは、要するに時間の使い方である。イラン人はわずかな時間、わずかな休日を最大限、レクレーションのために使う。

イランの休日はイスラムで安息日とされる金曜日だけで、公務員を含めて多くの人たちは

木曜日も半日出勤する。かつて、日本で土曜日が半ドンだったようなものである。

大半のイラン人は週末である木曜日の午後から金曜日の晩にかけてを、誰と、どこで、どう過ごそうかということだけを考えながら一週間を送っている（というか、耐え忍んでいる）。

週末のみならず、イスラム革命以後は、イスラムにとって重要な祭日、シーア派の聖者たちの生誕日や命日に加え、革命関連の記念日も軒並み休日となったために、イランでは毎月のように祝日がある。

だから、普段はイスラム共和国を目の敵にしているイラン人も、余暇のことに話が及べば「この祝日の多さはイスラム体制のおかげ」と、にんまりする（ちなみに、イランにはいわゆる振替休日という制度がないので、欲張りな私はそれでも損した気分になることがある）。

週末は言うに及ばず、一応は喪に服することが求められている聖者の命日だろうとお構いなく、イラン人は旅行やホームパーティーに明け暮れる。

そういうわけで、日本人の感覚で、休みを持て余したころにスマホを手に取り、友達に「今日、暇？」なんて聞いても、たいていの人はとっくに出払っていて、「○○山でサイクリング中。一緒に来たかったね～」とか、「○○ビーチでバーベキューしてる。肉、めっちゃ旨い～」なんてメッセージばかりが返って来る。行動が半端じゃなく早いのである。

若い人たちばかりではなく、子どもや孫がいるような年齢の人たちもこの調子で、余暇にかけてイラン人はほとんど人間としての総力を傾注している。

そもそもイラン人は、いくつになってもどこか子どものような無邪気さを残していて、日本人のように「年相応の振舞いを」とか、「もう家庭があるんだから」とか言って人を戒めたり、やりたいことを諦めたりすることがほとんどない。

「年齢は単なる数字」という慣用句がこの国で多用されるのも偶然ではなく、彼らは父親や母親になっても新しいことにチャレンジしたり、存分におしゃれを楽しんだりすることはもちろん、子どもじみたひねりのないジョークで笑い転げ、場を問わず歌いたいときに歌い、泣きたいときに泣き、そうしてケロリとしている。

だから、イランへやって来た日本人の目に、全体としてこの国の人々が非常に陽気かつ純朴と映るのは無理もないことで、私自身、こういうイラン人の気質を愛する一人である。

しかしながら、ここまで本書をお読みになった読者のみなさんはすでにお分かりのように、イラン人は今日のイスラム体制下において、政治や経済はもちろん、家庭や職場、恋愛にいたるまで、数え切れないほどの悩みと不安、そして憤りを胸に日々を送っている。

そのことに思いを馳せるとき、私はイラン人をひとくくりに「陽気な人々」などと呼んでしまうのは失礼というか、不謹慎な気がするのである。

彼らが余暇に並々ならぬ情熱を注ぎ、老いてなお子どものような無邪気さを忘れず、人生を日本人の二倍も三倍もエンジョイしようとしているように見えるのは、むしろこの茨のような厳しい現実を忘れ、明日を乗り越えるエネルギーを蓄えるためなのではないか。そんなふうに、私には思えてならない。

その証拠に、と言ってよいかわからないが、ペルシア語には悩める人を元気づける際に使われることわざが、たくさんある。

曰く、「これもまた過ぎぬべし」、「この不幸にまさる不幸もありなん」、「よろずのことは終わりよからん」——。

こうしたことわざで互いを慰め合い、絶望の淵にあってもわずかな希望を見失うことなく、その日その日を懸命に生きてきたのがイラン人である。

彼らのほほえみの奥に隠された、この悲哀を読みとれるかどうか。イラン人への真の理解はそこから始まるといっても過言ではない。

コミュニケーション大国イラン

人生を楽しむための、もっとも簡単な気晴らしはおしゃべりである。

一度でもイラン人と接したことのある日本人は大概、「彼らはなんとよくしゃべる人間なのだろう」と舌を巻く。

家族や友人とはもちろんのこと、八百屋の店先では店員と、タクシーの中では運転手と、行列では前後の人と、バスや電車では隣に居合わせた乗客と、喜怒哀楽を素直に表現しつつ、イラン人は常に誰かと会話をしている。

もちろん正確なデータはないが、平均的なイラン人は会話という行為のために、控えめに見ても一日あたり日本人の五倍くらいはカロリーを消費しているのではないか、と思われるほどだ。

彼らと同等のエネルギーを会話につぎこむことのできる日本人は、おそらく明石家さんまか上沼恵美子ぐらいだろう（関東出身である私の偏見かもしれないが、よくしゃべるイメージのある関西人はイラン人と相性がいいに違いないと思っている）。

こちらがペルシア語を理解できる、できないの問題ではないのである。なぜなら、どちらも英語のよくできるイラン人と日本人が、あるいは日本語のよくできるイラン人が日本人と話す場合であっても、軍配はイラン人に上がるからだ。

何を隠そう、ペルシア語自体はほぼ完全に理解している私でさえ、イラン人と会話していると、だいたい一時間ぐらい経ったところで息切れしてくる。しゃべるという行為に疲れてしまうというのもあるが、それ以上に、そもそも話題が尽きてくるのだ。

そうでなくても、寡黙を美徳とする日本人のなかでもとりわけ寡黙な部類に入る私は、「言いたいことがTPOに適っているか、発話の前に何度も脳内審査する」という癖があり、しかも大半の事柄はこの審査を通らないのである（酒に酔っている場合を除く）。

ところが、イラン人はどうやら違うらしい。まず、彼らには無数の会話の引き出しがある。これは、イラン人が日頃から世の中のあらゆることに関心を払っている証拠だ。

もっと感心するのは、その引き出しに何が入っていようと、それについて彼らが一家言もっていることである。しかも、そうした意見に対してこちらが同意するか、しないかなんてことは、一向に気にしない。

いや、むしろ同意してくれないほうが議論になって会話が続くので、かえって都合がいいと思っているような節さえある。

ためしに、イランで道を歩いているそのへんの大学生をつかまえて、唐突に「牛乳」についての意見でも求めてみたらいい。

彼（彼女）は、まず昨今の牛乳の値上げについての話から始め、その原因が何かということにも当然触れてから、ひるがえって、子どものころに熱々の牛乳をこぼしてやけどしたことを笑いながら振り返り、今自分は一日に牛乳をコップ三杯飲んでいること、自分のパパもそうだがママは全然飲まないこととその理由、牛乳の飲みすぎはよくないという専門家もいるが自分はそう思わないこと等々を、立て板に水を流すように一〇分ばかり語り続け、最後に目を輝かせながらそれらすべてについて、あなたの見解を求めてくるだろう。

「これは個人的な話だからやめておくか」とか、「物知りぶっていると思われそうだから言わないでおこう」という発想は、イラン人にはほとんどない。

逆に言えば、日本人もそれを真似ることで、ある程度イラン人と同じような熱量をもって会話に参加することができるようになる可能性がある。

つまり、「頭に浮かんだことは何でも話してみる」。これがイラン式コミュニケーションの基本の「き」なのだ。


おしゃべりこそマナー、しゃべらないのは失礼!


「何を話してもいい」なんて言うと、「なあんだ、イラン人は気楽でいいな」と思うかもしれないが、それは正しくない。

かつての私を含め、多くの日本人はイランに来るとまず、その社会に漂う不思議な「解放感」の虜(とりこ)になる傾向があるようだ。

政治的にはかなり窮屈なこの国で、「解放感」というと意外に思われるかもしれない。だが、コミュニケーションがその一例であるように、イランという国は、文化的にはかなり自由度が高い（つまり「気楽な」）ように、日本人の目には見えるのである。

しかし、この国に長く暮らせば暮らすほど、決してそんなことはないということを人は痛感するだろう。

言うまでもなくイラン人と日本人とでは、価値観や社会規範が異なっている。だから、日本社会では締めつけのきつい部分がイラン社会ではゆるい（もしくはその逆）ということが多々ある。

「解放感」は、その社会がどんな規範に重きを置いているかの違いから来るものであって、社会が本質的に解放的であることを意味するものではないのだ。

イラン式コミュニケーションに関して言えば、イラン人は単におしゃべりが好きだから、たくさんしゃべっているわけではない。

もちろん、なかにはそういう人もいるだろうが、それ以上に彼らは、「しゃべらないことは失礼にあたる」と考えているのである。

日本人がイランでパーティーなどに招かれて、何もしゃべらずにいると、必ず「どうしたの？」と心配される。彼らの感覚では、人がいる席で黙っているのは、「その場が楽しくない」という意思表示か、さもなくば体調不良のどちらかだからだ。

場の雰囲気を盛り上げ、和やかなものにするために、イラン人はしゃべる。いや、しゃべらなければならない。ジョークや楽しい話題ならばなおよいだろうが、しゃべること自体がマナーだから、話の中身は基本的に何でもいい。

そして、みんながそのマナーを共有しているから、誰かが得意げに蘊蓄を傾けようと、政治や宗教が話題になろうと、あるいは議論がヒートアップしようと、その場の雰囲気が壊れる心配はない。そこで交わされる会話は、ある意味すべて「儀礼」だからだ。

そう考えるとイラン人のおしゃべりが、「気楽」などとは言えなくなるはずだ。それは、高度に発達したこの国の社交文化なのであり、一人前の大人が身につけておいて当然の教養でもあるわけだ。

とまあ、さも知ったようなことを書いたが、私だって日本人である。おしゃべりが社交文化と分かっていても、やはり、ときにはどうしても受け入れがたいおしゃべりもある。

その日、あるパーティーに招待された私は、ゲストの一人で、見るからにナルシストといった感じの派手めな中年の男がワインを片手に繰り出す四方山話に耳を傾けていた。

ところが、その話というのが実につまらない。

インフレがひどいだの、ハメネイが無能だの、そんな手垢のついた床屋政談を、なぜ今ここで二〇分も三〇分も聞かされなければならないのか。

それ以上に我慢ならなかったのは、日本人である私を前にしながら、彼が時折、「日本はああだこうだ」と、さも見てきたかのように、しかし出鱈目な日本論をぶち上げていたことである。

イラン人たちは時折、大げさに納得したようなふりをしたり、分かり切ったことを質問したりしながら、会話を盛り上げる方向へ持っていこうと懸命である。それが彼らのマナーであり、ルールなのだから当然だ。

だが私はといえば、男の話があまりに退屈なので、もはや何か発言しようという気すら起こらない。たとえるならば、部屋がちょっと散らかっているときには掃除しようと思うが、汚すぎるとどこから手をつけたものか分からず、結局放置してしまう。あれと一緒である。

そろそろ誰かこの男を止めてくれ。いくら「しゃべること自体に意味がある」と言ったって、これはないだろう。もう息が詰まりそうだ！

観念した私は、「マナー違反」と知りながら、ついに相槌を打つのをやめてソファに身を預け、こみ上げてくるあくびをこらえる努力すら放棄してしまった。

しばらくすると、私のことをよく知る友人の女性が、すべてを悟ったかのような優しげな表情を浮かべて、そばに寄って来た。

「サトシさん、あっちの部屋で少し横になってたら？」

私は地獄で仏に会ったような気持ちでフラフラと立ち上がり、寝室へ〝避難〟した。

もしかしたらそのうち誰かが、天岩戸（あまのいわと）をこじ開けるようにして私を再びリビングへ連れ戻しに来るのではないかと心配したが、杞憂（きゆう）だった。

「あんな底なしにつまらない話にも小一時間、笑顔を絶やさず付き合ってあげられるイラン人、恐るべし」

真っ暗な部屋で一人、私は彼らの筋金入りの社交力に脱帽していたのであった。

あなたに命を捧げます!?

ところで、イラン人の社交術がいかに洗練されたものであるかは、ペルシア語という言語を見てもよく分かる。

この言語の特徴のひとつは、あいさつや定型表現の類がきわめて発達していることだ。つまり、「相手からこう言われたら、こう返す」という常套句（じょうとうく）がちゃんとあり、しかもその数は日本語よりもずっと多い。

たとえば、「ありがとう」に対する「どういたしまして」、「お元気ですか」に対する「おかげさまで」などは日本語もペルシア語も共通だが、ペルシア語の場合、ほかによく使われるものだけでもざっと以下のような定型表現がある。

「とても美味しかったです」↓「（食べたものが）あなたの命の糧となりますように」
「（服などを褒めて）素敵ですね」↓「（安物なので）あなたには不向きでしょう」
「たいへん恐縮です」↓「（あなたではなく）あなたの敵が恐縮すべきです」
「お手数をおかけします」↓「あなたに命を捧げるつもりです」
「お力になれればと思います」↓「お力になるべきは私のほうです」
「（旅行などに）あなたもいらっしゃればよかったのに」↓「（私ではなく）お友達がいらっしゃれば十分です」
「今度お伺いします」↓「畏れ多きご足労です」
「お邪魔します」↓「（邪魔ではなく）ご親切です」
「故人の魂が救われますように」↓「あなたのご先祖の魂こそ救われますように」
お風呂上がり、もしくはくしゃみをした人に対して　↓「お健やかに」
新しく何かを買った人に対して　↓「（手に入れることができて）おめでとう」

いかがだろうか。日本語では、「いえいえ」や「ありがとう」で簡単に済ますか、適当に口ごもってやり過ごすような場面にまで、ペルシア語ではきちんと「お返しの表現」（その多くは誇張的な謙遜である）が用意されているのである。

このような慣用的やりとりを総称して「タアーロフ」というが、イラン人は子どものころから見よう見真似でこれを体得してゆく。タアーロフは、反射的に口をついて出てくるようでなければ使い物にならない。

外国人がこれらをすべて覚えるのはかなり骨が折れるが、頑張ってある程度身につけるとイラン人は、「タアーロフもわかるのね」と言って喜んでくれるはずだ。

なぜなら、彼らは複雑なタアーロフの体系を、イラン社会が外国人に課す一種の〝洗礼〟と考えているからである。事実、タアーロフが使いこなせるようになるとイラン人との距離はぐっと縮まる。

タアーロフは、イラン人がコミュニケーションを重視していることはもちろん、彼らの「発話主義」を象徴するものでもあると私は理解している。つまり、言葉になったものがすべてであり、言葉にならないものは、無いのと同じであるという考え方だ。

どちらかというと言葉少ない日本人とは対照的ともいえる、イラン人のこうした文化は、どのようにして形成されたのだろうか。

ユーラシア大陸のほぼ中央に位置し、歴史を通じて「文明の十字路」として栄えたイランは、同時にさまざまな民族の興亡の舞台ともなり、そこに暮らす人々は度重なる戦乱と異民族支配を経験してきた。

近代以降、イランは国土面積のうえではかなり縮小してしまったが、現在も多民族国家であることに変わりはない。しかも、最大民族であるペルシア系（ペルシア語が母語である人）ですら、全人口の半数程度を占めるに過ぎず、必ずしも圧倒的な力をもっているわけではない。

そのような国では、異なる民族間の意思疎通において、「以心伝心」や「空気を読む」などの非言語的コミュニケーションは何の役にも立たなかっただろう。イラン人が発話によるコミュニケーションを発達させたのはそのためだったのではないだろうか。

さらに、異民族から無用な誤解や不信感を招いたり、最悪の場合、命を危険にさらしたりすることがないよう、彼らはタアーロフで大袈裟に謙遜してみせる術（すべ）も編み出した。それは彼らにとって、一種の「自衛策」だった可能性がある。

現在では、タアーロフは同じ民族同士、また、毎日のように顔を合わせる親しい間柄であっても普通に使われる。

ただ、「自衛策」としての性格は今も残しており、ときにイラン社会の負の側面を支えるものとして、このタアーロフが槍玉に挙げられることもあるのだが、それについては第六章で述べることにしたい。

玉子の日本人、桃のイラン人

「おしゃべりはマナーだ」、「タアーロフができて一人前」などと聞くと、今度はイラン人が「気楽」どころか、逆に堅苦しい人たちのように思われるかもしれない。

しかし、もちろんそんなことはない。いや、むしろイラン人ほど誰とでもすぐに仲良くなってしまう人たちは、世界中を見渡してもそうはいないだろう。

彼らのフレンドリーさといったら、「そんなに早く仲良くなっちゃって大丈夫なの？」と、傍(はた)で見ているこっちがハラハラするくらいだ。

人にもよるとは思うが、多くの日本人の場合、友達に心を開き、プライベートなことや悩みなどを打ち明けられるような関係になるまで、それなりの時間を必要とする。

イラン人はその段階に達するまでが恐ろしく早い。

出会った瞬間に「君」や「お前」に相当する二人称「ト」で呼び合うのは当たり前、その一時間後に恋愛のもつれ、離婚、借金、病気、障がい、セクシャリティーなどに話が及んでいたとしても、相手がイラン人なら驚くに値しない。

私はいつも、この日本人とイラン人の違いを、玉子と桃にたとえている。

仲良くなるまでに時間のかかる日本人は、玉子である。まず初めに硬い殻を破る必要があり、殻の外側と内側とでは、言葉づかいも話題も違ったものになる。

一方、すぐに仲良しになることのできるイラン人は、桃だ。その薄い皮はあらゆるものを受け入れ、中身と変わらないくらい柔らかい（ちなみにイラン人は本物の桃も皮ごとガブリといく。読者諸氏も是非お試しあれ）。

だが、桃の中心に硬く大きな種があるように、イラン人の「友情」も多くの場合、すぐ壁に突き当たる。

ひと月くらいしてから、「この前、仲良くしゃべっていた彼（彼女）とは、その後どうなったの？」と聞くと、「知らない」なんて素っ気ない答えが返ってきたりする。

私も、あるイラン人の男性と「友達」になり、さんざん彼のプライベートなことを聞かされたのはもちろん、一か月後には家族旅行にまで同伴させられたのだが、二か月くらい経ってみるとその関係も綺麗(きれい)さっぱり自然消滅していた。

そんな彼らの熱しやすく冷めやすい友情を象徴するペルシア語のことわざが、「去年は友達、今年は知り合い」（パルサル・ドゥースト、エムサル・アーシェナ）である。

去年を「先月」に、今年を「今月」に入れ替えたほうが、より現実を反映しているんじゃないか、と思わないでもないが、とにかくこのことわざはよく使われる。

そういうわけで、一見、友達作りには苦労しないように見えるイラン人も、親友と呼べるような友達に限れば、その数は結局日本人と大差ないようだ。玉子にしろ桃にしろ、一度に一〇個も二〇個も食べられるはずがないのである。

ただし、友人や友情というものを、人生においてどれだけ重要なものと考えているか、という観点から見ると、日本人とイラン人の違いも浮き彫りになってくる。

これもまたことわざになっている、次のサアディーによる詩の一篇を見てほしい。


今生に友との語らいに勝るものなし／魂の糧それ友より聞きしことなり

（サアディー『ガザル集』）


友人との会話こそが人間にとってもっとも大切なのだ、と説くことわざが日本にあるだろうか。

「持つべきものは友」とはいうものの、日本ではどちらかというと「親しき仲にも礼儀あり」とか、「君子は和して同ぜず」とか、友情に一定の歯止めをかけるようなことわざのほうが多いような気がする。

それらは決して偶然ではなくて、実際にイラン人は、われわれ日本人よりもはるかに友誼(ゆうぎ)に厚く、一度親友となればその契りは何年、いや何十年にわたり続く。

私は常々、携帯電話、あるいはスマホなるものは、このイラン人のために発明されたのではないか、と本気で思っているのだが、それくらい彼らは四六時中、親友との電話やチャットに明け暮れている。

「いきなり電話したら失礼かな」とか、「こんな時間じゃ迷惑だろうから今度にしよう」などと、いちいち水臭いことを考えているうちは親友とは言えない。親友は空気のように、いつ、どこでも、いちばん近くにあるべきものだからだ。

そればかりではない。イラン人は、親友のために必要とあらば何日も仕事を休んだり、金銭を工面すべく東奔西走したりすることも惜しまない。親友はイラン人にとって、文字通り家族同然か、それ以上の存在なのである。

具体的に言えないのが残念だが、私自身もこれまでどれほどイランで崖っぷちの局面を親友たちに助けられてきたか知れない。

彼らの友情には人種も国籍もないのであって、これはイラン人が世界に誇るべき美徳に違いないと私は思っている。

優しさはタダじゃない

たとえ相手が親友と呼べるほど深い間柄でなく、通りすがりの他人であっても、イラン人は優しい気遣いを忘れない。

そのことを彼らの前で話すと、「昔のイラン人はもっと優しかった」と口をそろえるのだが、私からすれば贅沢な悩みであって、イラン人はまだまだ十分すぎるくらい親切だ。

バリアフリー整備の遅れているイランの都市には、お年寄りや障がい者が不便や危険を感じるような場所が、あちこちにある。エスカレーターやエレベーターは少なく、道や建物のなかは段差だらけ、点字ブロックも視覚障がい者用信号機もほとんど見かけない。

もちろん、それらがきちんと整備されるに越したことはないのだが、私はそもそもこの国ではバリアフリーなんて必要ないのではないか、と思うこともある。困っていれば、必ず生身の人間が手を差し伸べてくれるからだ。

道を渡ろうとしているお年寄りがいれば、どこからともなく若者が駆けつけて来て、「じいさん、俺と一緒に行こう!」と声をかける。白い杖(つえ)をついた人の傍らには、決まって自らの腕を貸す「赤の他人」の姿がある。

助けるほうが自然体なら、助けてもらうほうも当然の権利としてそれを受け取る。それは、親切がこの国では別段称賛されるような行いではなく、人として最低限の道徳と考えられている証拠だろう。

あなたが仮に高齢者や障がい者でなかったとしても、「イラン人でない」というだけで、この国では破格の厚遇を受けるに違いない。

イラン人のあいだには、民俗学者折口信夫の言う「マレビト信仰」のようなものが今も息づいていて、旅人は幸運をもたらしてくれる存在として丁重に扱われる。そこには経済的な動機もないわけではないが、まったく無償の親切に浴することも多い。

私はかつて、話の弾んだタクシー運転手やレストランの店主から、しばしば「お代はいらないよ」と言われたものである。きっとイラン人特有の謙遜だと思い、こちらは何とかお金を握らせようと粘るのだが、頑として受け取らない。

最近こういう人にほとんどお目にかからないのは、不況の影響もあるが、どちらかというと私自身がイランに馴染みすぎて、〝マレビト感〟を醸し出せなくなっていることによると思われる。

それでも、地方を旅すると、イラン人は今も私を立派なマレビトとして扱ってくれる。これはイラン人の旅行者でも同じことで、多民族・多言語のイランでは、自分の町を離れて遠出する者は誰でも、行く先々でほとんど外国人のような目で見られるのだ。

私はよく、友人のタハ君とその彼女さんの旅行にご一緒させてもらうのだが、そうするとやはり現地で意気投合したタクシー運転手から運賃の受け取りを拒否されたり、さらには彼の自宅に招かれ、家族総出でご馳走を振舞われたりすることがある。

金銭的に見れば、明らかに大赤字のはずだが、旅人に楽しい思い出とともに帰ってもらおうとイラン人は全力でもてなしをする。旅人のためにすべてを捧げるイラン人の姿こそ、まさに彼らの親切さの真骨頂と言うべきだろう。

もちろん旅行のときは、このようなホスピタリティーを受けるだけ受けてそのまま帰っても全然構わないのだが、ちょくちょく顔を合わせる仲となれば、話は別である。

イランにも、日本語の「恩知らず」に相当するような厳しい言葉がちゃんとあって（ビー・マアレファト、ナマク・ナシェナースなど）、友人から受けた恩は返すのが礼儀と考えられているからだ。

これがわれわれ日本人にはなかなかきついところで、何しろ相手は世界に冠たる〝優しさ大国〟の住人である。それに見合った親切など、よっぽどこちらが背伸びをしない限りかなわない。

何を隠そう、私もこれまで親しくなったイラン人からよく「恩知らず」のレッテルを貼られ、少なからぬ友人を失ってきた。

おそらく、イランで暮らす日本人をもっとも悩ますもの、それは皮肉にも、「イラン人の優しすぎるほどの優しさに、どう応（こた）えていくか」ということなのである。

考えてみてほしい。たとえば、私に女の子を紹介してくれたイラン人男性に、日本人の私がイラン人の女の子を紹介できるだろうか。無理とは言わないが簡単ではない。

「日本人の女の子を紹介しろ」なんて言われた日には、ほぼお手上げだ。日本でモテていなかったからというのもあるが、それ以上に、そもそも私自身が今日本にいないのだから。

こういう、外国暮らしという特殊な事情を斟酌(しんしゃく)してくれるイラン人ならば助かるのだが、そうでない人も多いから、いろいろと困ることも多い（もちろん、パーティーに招かれてイラン料理をご馳走になったら、私も招き返して日本料理でもてなすくらいのことはしている）。

もっとも、イランにも「見返りを期待して情けをかけるのはよくない」とする考えはあって、次のような詩もことわざになっている。

汝(なんじ)の積みし善行みな川に捨てるべし／汝の荒野にあるとき必ずや神それを返さん
（サアディー『教戒集』）

年齢と経験値が上がるにつれて、近年は私自身がそれなりの時間と労力を割き、イラン人を助けるような機会も増えてきた。

だが、恥ずかしいことに、そんなときにはどうしても心のどこかで見返りを期待している自分がいて、こちらが困っているときに、かつて親切にしてあげた相手に冷たくされたりすると、やはりイラッとする。

そんな私に、日本びいきの友人レイラさんは、あるときこう言った。

「この国には二種類の人間がいるの。ひたすら人助けをして一切の見返りを期待しない人間と、助けてもらうばかりでまったく人助けをしない人間。サトシさん、あなたもどっちかにしておかないと、この先いろいろ苦労するわよ」

まったくおっしゃる通りで、ぐうの音も出ない。日本で本気で人助けをしてこなかった私は、今日も優しさ大国イランで〝親切道〟の修行に励んでいる。

その自信、本物ですか?

日本人ならば、子どものころに誰もが一度は、親や教師から「自信をもて!」と言われた経験があるに違いない。

自信をもて——。それが励ましの言葉になるということは、逆に言えば、それだけ日本人は、自分で自分を高く評価することの苦手な国民だ、ということだろう。

イラン人はというと、まったくその反対である。小さな子どもからいい年の大人まで、さらにはかなり腰が低く控えめに見える人であっても、誰もがおめでたいくらいの自信家なのだ。

だから、大事な試験や面接、大会などを控えたイラン人の肩を叩いて、つい癖で「自信をもって！」などと言おうものなら、「自信？　そんなもん、あるに決まってるだろ！」と、かえってムスッとされたりする。「自信をもて」は、この国ではエールにならない。

私は、日本にもイラン人の友人、知人がたくさんいるので、異国の地で彼らが日々、何を考え、どんな生活をしているかも、だいたい知っているつもりだ。

彼らの多くは、ほとんど日本語ができない状態で日本に来るのだが、来日直後であっても、こちらが「日本語はわかるか」と聞けば、絶対に「わかる」と答える。自信がすごいのである。

だから、バイト探しや就活の際にも、彼らは物怖じしない。

あるとき私は、「犬」という動物が何かすらも知らないくらい日本語のおぼつかないイラン人女性が、都内の方々（ほうぼう）の会社に履歴書を送っているのを見て、たまげたことがある。

「あのねえ、君の日本語ではとても日本人と仕事なんかできないよ？」

私がそう言っても、彼女は聞かない。そればかりか、「私の知識と経験は、日本のどんな会社も認めてくれるに違いありません」と豪語するではないか（ちなみに彼女の言う知識と経験とは、学士号とバイト歴のことであった）。

正直、「ナメてんのか」とも思ったが、聞く耳をもたない人に何を言ってもしょうがない。

黙って様子を見ていたら、案の定、数週間後にことごとく不採用の通知を受け取っているのを見て、「言わんこっちゃない」と、私は一人ため息をついたのだった。

同じようなことは、もちろんこのイランでもある。

この国で、掃いて捨てるほど存在する商売、それは「英語教師」である。英語は、日本同様かそれ以上にイランでも需要がある。

イランでは、語学を語学学校ではなく、どこの組織にも属していない個人教師から学ぶ、ということは普通にある。

それは別にいいのだが、そうなると学ぶ側としては当然、リスクを覚悟しなければならない。なぜといって、この国では語学に自信がある人は、誰もが語学教師の看板を高々と掲げているからである。

英語の検定などを受けたことがなく、英語圏で暮らした経験すらなかったとしても、高校でちょっとばかり成績がよかったという理由でイラン人はある日突然、英語を教え始めたりする。

まあ、英語に関しては私自身、特別な愛着も思い入れもないので、「どうぞご勝手に」といったところだが、これが日本語となれば決して座して見ているわけにはいかない。

はっきり言って、イランで「日本語教師」を自称しているイラン人の八割方は、眉唾(まゆつば)ものである。

これもまた別の知人女性の話なのだが、彼女は日本語学習歴一年ちょっと（！）、もちろん検定なども受けたことがなかったにもかかわらず、イラン人向けに日本語を教えようとしていた。

一年間日本語を習っただけで日本語教師になれるのなら、中学校に入学してから英語を習い始めた日本の子どもは、二年生になった段階で「英語の先生」か。冗談じゃない！

私は、何か自分の母国語そのものが馬鹿にされているような気すらしたので、彼女が日本語を教えようという企てを全力で阻止しにかかった。

勝手に愛国的使命に駆られていたそのときの私は、おそらく鬼のごとく気色ばんでいたのだろう、結局彼女は数日後、日本語教師の看板を取り下げてくれた。

まあ、これは「身の程知らず」の極端な例だが、ここまでではなくとも、二、三年、日本語をかじっただけで「日本語教師」を名乗るイラン人のいかに多いことか。

話は語学教師に限らない（この調子であんまりイラン人のことを悪く言い続けると、イランにいられなくなるので、そろそろ矛を収めたいのだが、もうひとつだけ言わせて下さい）。

自信家であふれるイランでは、電気の配線や、ガス・水道の配管などを請け負うエンジニアもまた、素人ぞろいだ。

エンジニアはペルシア語で「モハンデス」と呼ばれ、これはイランでは一種の尊称となっている。ちょうど日本の繁華街でサラリーマンが「社長さん」と呼ばれるように（ちょっと古いか？）、イラン人は相手の職業や地位にかかわらず、見ず知らずの男性に声をかける際、「モハンデス！」と言うことがある。

だが、それほどまでに尊敬されているモハンデスの実態は、惨憺たるものだ。

自分の家の水回り、電気、ガスの不具合を直してもらおうと、自分でモハンデスを探してうちに来てもらっても、納得のいく仕事をして帰るということはまずない。

たいてい、翌日になるとまた不具合を起こすか、一度で直ったとしても、全然関係のない箇所をぶっ壊されたり、本人が必要な道具や部品を持ち合わせていないために二度も三度も往復して、丸一日時間を取られたりする。

こんな素人仕事は、もはやモハンデスというよりは「模範じゃないです」というべきだと思うのだが、イランで腕のいいエンジニアにお目にかかることは、実に稀なのである。

イランにプロフェッショナルが少ない理由、それはつまるところイラン人が自信過剰だからにほかならない。

この国で手に職をつけようという人間は、せいぜい四、五年も修業すれば、「もはや学ぶものなし」と親方も顔負けの堂々たる態度をもって独立し、一国一城の主として生計を立て始めてしまう。

もっとも、自信をもつことが必ずしも悪いとは、私も思っていない。日本人のように、「掃除と飯炊きで十年」などと悠長なことを言っていては、手にすべきチャンスすら失ってしまう可能性もあるだろう。

とりわけ、外国に出て生活する場合には、イラン人のように「ダメで元々、当たって砕けろ」の精神がかえって功を奏するような状況も、多々あるに違いない。

しかし、教師やエンジニアがそうであるように、こちらが実際にプロフェッショナルを求めているような場合、イランでは本当に実力ある仕事人を見つけるだけでも相当な労力を使わないといけない。

「その自信、本物ですか？」

私は今日も、全イラン人に直球でこの質問を投げかけてみたいのである。

「知らない」と言えない人々

そういうわけで、イラン人の「できる」「わかる」「知っている」は、決して鵜呑（うの）みにしてはならない。

これは、町でちょっと道をたずねたときなんかもそうで、彼らはこちらの探している場所を知らなかったとしても、絶対に「知らない」とは言わず、「あっち」とか「そっち」とか、何らかの答えを返してくる。

誰もがこの調子で適当な方向を指し示すので、それらをまともに信じてしまうと、同じところを何度も行ったり来たりして、いつまでも目的地に辿り着くことができない。

知らないなら「知らない」と言ってくれたほうがよっぽど助かるのに、どうして彼らはこうなのだろう（もっともこの〝知ったかぶり案内人〟は、主に地方の中小都市に多く出没する傾向があり、テヘランのような大都市には比較的少ない）。

私はイラン人が「知らない」と言わない（または言えない）原因もまた、彼らの有り余る自信に求めることができると考えている。

ちょっと矛盾するようだが、自信家に見えるイラン人も、実をいえば心の底から本気で自信をもっているわけでは、必ずしもない。これは美容整形のところでも書いたが、彼らはむしろ自己肯定感の低さに悩んでいるくらいなのである。

ただ、イラン人はそのことを相手に悟られるのを極度に嫌う。つまり、彼らにとって大事なのは、仮に自信がなくても、自信満々のフリをして生きることなのだ。

だから、この国で「できない」「知らない」「わからない」と言うことは、自らの恥を進んでさらけ出すようなものであって、正直さや「身の丈を知る」などという美徳とはまったく関係がない。

イランの学校で日常的にカンニングが横行し、それが別段深刻な不正とも考えられていない理由も、ここから説明することができる。

「できない」ことが恥とされる社会においては、形だけでも「できるように見せる」ことが重視されるので、この国の若者たちは、試験となれば教師の目を盗んでカンニングに邁進する（もちろん全体としてはカンニングをしない学生のほうが多いが、その割合は間違いなく日本よりも低い）。

カンニングをしなかった結果、いい点数を取れなかったとしても、イラン人は日本人のように「実力は出し切ったから」と、割り切って考えることができない。

そのような場合、彼らは決まって「メンツが潰れた」と言って、必要以上に自分を責めることになる。メンツのことをペルシア語で「アーベルー」というが、これは現在もイラン人の行動を強く規定する重要な概念のひとつである。

カンニングに関して言えば、「そんなにアーベルーが大事なら、ちゃんと勉強しとけよ」とツッコミを入れたくもなるが、アーベルーは試験以外の、この国の様々な局面で実力や実態以上に大きな意味をもっている。

たとえば、イラン人のお宅に招かれると、必ず食べ切れないほど山盛りの果物やナッツにお菓子、それに人数分の二倍くらいはありそうな豪勢な食事が供され、もうお腹がはち切れそうだという段になって何種類ものデザートでとどめを刺される、というのがお決まりの流れである。

これはイラン人のホスピタリティーであることに違いはないが、一面ではアーベルーも大いに関係している。仮に懐事情が厳しかったとしても、食卓から客人にそれを悟られるようでは「メンツが潰れる」。

だから、彼らはパーティーともなればここぞとばかりに大枚をはたく。中途半端に貧相なパーティーを開いて、あとから陰で文句を言われるくらいなら、初めからやらないほうがよっぽどいいのだ。

それから、彼らはパーティーの最後に自分で作った料理が余ったとしても、それを別の容器に移して、あとで食べるようにとっておくような〝貧乏臭い〟真似はしない。代わりに彼らは余った食べもの（とくに米！）を客人の目の前で躊躇なくどんどん捨てていく。

これを「もったいない」と思うのは日本人の発想であって、アーベルーこそ大事なイラン人は、こうすることで、いかにも金持ちらしい鷹揚（おうよう）なところを見せたいのである（ただし、余った食べものを捨てずに包んで客人に持ち帰らせる場合も、もちろんある）。

それから、イラン人の「ブランド好き」の背景にも、アーベルーがある。

高くて本物に手の届かない人は、マークが入っているだけの偽物を買う。アーベルーは所詮、「人からどう見えるか」なので、よほど安物に見えなければ、本物か偽物かは二の次なのだ。

また、イラン国内でアイフォーンをもっている人はあまり多くないが、不思議なことに日本で暮らしているイラン人のスマホは十中八九、アイフォーンである。

バイト先で馬車馬のように働き、食費や光熱費を切り詰めながら学費を捻出しているような貧乏留学生が、最新型のアイフォーンのために毎月二万円も払っているというようなことが普通にある。

「お金の使い方を間違ってないか？」と思うのだが、これもやはり日本人的な考え方で、アーベルーがすべてのイラン人にとって、日本社会から「一級市民」として認知されるためには是非ともアイフォーンを持っている必要があるようなのだ。

メンツが見栄に変わるとき——「成り上がり」たちの生態

ここで例に挙げた、学校の成績、パーティーの食卓、そしてスマホといった所持品などは、言ってみればもっとも些細な事柄である。

メンツが人生のもっと大きな局面（たとえば、就職、結婚、子育て、家や車などの購入、葬式など）においていかに重要視されるかは、もはや推して知るべしだろう。

日本人からすると、イラン人の言うメンツは、ときに「見栄（みえ）」と言ったほうがいいような、〃くだらない〃ものに見えなくもない。

事実、イラン人の中にも、メンツのために身の丈に合った振舞いをはずれ、他人の評価を気にするあまり浪費や不正をもいとわないことを、この国の「悪しき文化」として批判する人は少なくない（六四ページ参照）。

強調しておきたいのだが、イラン人の全員が全員、メンツと単なる見栄を履き違え、不毛な競争に明け暮れているわけでは、決してない。

むやみやたらと見栄を張りたがる人のことを、イラン人は侮蔑をこめて「成り上がり」（ペルシア語で「ターゼ・ベ・ドウラン・レスィーデ」）と呼ぶ。

この「成り上がりイラン人」は、イスラム革命後に急成長した新興の中産／富裕層のなかに多い。ただし、「成り上がり」というペルシア語は、あくまでもその思考様式や言動を揶揄して使われるもので、実際にどれだけ財を成したかということとは直接、関係がない。

ちなみに、現代のイラン人はざっくり以下の三つに区分することができる。

いちばん多いのが、成り上がりを含む新興中産／富裕層に属する人たちで、肌感覚でおそらく全人口の六割から七割近くを占めていると思われる。

次いで多いのが革命以前からの「古参」中産／富裕層（その多くは王政期の政治・経済を牽

引していた）である。彼らは一世紀近い都会暮らしでひととおりの贅沢を経験し、何世代にもわたり洗練された文化に馴れ親しんでいるので、成り上がり連中など歯牙にもかけない。

そして、数のうえでいちばん少ないのが、今も農村部で暮らし続けている人たちだが、古参の中産／富裕層が彼らに対して「純朴で堅実な人々」というイメージを抱いている一方、成り上がりたちは農村部の人間を「田舎者」と呼んで執拗に軽蔑したがる（どうやら人間は、自分のすぐ下の存在を馬鹿にし、はるか下の存在には親しみを感じる生き物らしい）。

「成り上がりイラン人」はとにかく見栄っ張りなので、お宅に招かれたりした際はもちろんのこと、ぱっと見のファッションやメイクのセンスからも、すぐにそれとわかる。

一言でいうと、とにかくケバいのである。彼らにとって、「美」とはすなわち「目立つこと」だ。

女性ならブロンドに染めた髪、小さく上向きに整形した鼻、極太に整えた眉毛、ヒアルロン酸注射で分厚くし、口紅を塗りたくった唇が、成り上がりの証である。

男性の成り上がりならば、腕など体の目立つ場所に派手なタトゥーを入れ、柄物のシャツ、ゴールドの太めのネックレスで身を固め、どぎつい香水をプンプン匂わせているはずだ。

彼らの家には、ガラスや金属を多用した、ピカピカの真新しい家具やインテリアがこれ見よがしに置かれているが、芸術的な味わいのあるものは少なく、書斎はおろか一冊の本すら見当たらないかもしれない。

成り上がりイラン人が口を開けば、「これを買った」「あれを買いたい」といった話題が中心で、うっかりこちらがそれを「持っている」などと言えば、たちまち自分の家族や親戚の金持ち自慢でマウントを取りにかかってくる。

彼らが旅行をするとなれば、イラン国内ならキーシュ島かカスピ海沿岸部、海外ならイスタンブルかドバイと相場が決まっている。

その理由はもちろん、こうした場所がラグジュアリーな観光地の代名詞だからであり、彼らにはそれ以外の場所を旅するだけの興味も知識もないようだ。

そして、「成り上がりイラン人」たちは……。

まあ、キリがないのでこれくらいにしておこう。

「あまりにステロタイプじゃないか」とお叱りを受けそうだが、彼らは本当に外面も内面も、面白いくらい紋切り型なのだからしょうがない。

イラン人の読者ならば、きっとクスリとしながら首肯してくれるはずだ。

嫉妬がイラン社会を席巻する

このような「成り上がりイラン人」の行動を規定しているのは、もはやメンツ（アーベルー）ではなく、ただの見栄、あるいは第二章で述べたチェシモ・ハム・チェシミー（嫉妬心から来る対抗意識）である。

問題はこの嫉妬が、「持たざる者が持てる者を、指をくわえてうらやむ」といった平和的なもので終わらないことだ。

今イラン社会にはびこるのは、「持たざる者が持てる者を蹴落とし、むしり取り、自らそれに取って代わろうとする」、強い敵意に満ちた嫉妬にほかならない。

このような社会現象の広まりは、「成り上がりイラン人」が増えたことと無関係ではないと私は考えている。なぜなら、革命前のイランを知る世代は、「昔のイラン人は、こんなに嫉妬深くなかった」と口をそろえるからだ。

つい三、四十年前まで、貧しい農村部に暮らし、華やかな生活から疎外されていた人々は、もともと古参の都市民たちに激しい嫉妬を抱いていたのだろう。

彼らがその嫉妬をバネにのし上がり、晴れて成り上がりとなったところまではよかったのだが、今や成り上がりたちは古参都市民を巻き込み、さらには成り上がり同士で「共食い」することもいとわない状況で、そのむき出しの競争意識はもはやとどまるところを知らない。

具体例を挙げよう。

私の友人のレイラさんは、すでに述べたように、代々、著名人を多く輩出してきた名家に生まれた、いわば典型的な古参富裕層に属する。

その彼女がかつて勤めていた会社に、Aという一人の成り上がり女性社員がいた。

あるとき、レイラさんとその同僚Bさんは、会社への功績を評価されて昇給することになったのだが、これに嫉妬したのが成り上がりのAである。

彼女はどうしたかというと、まずBさんを事実無根のデマによって陥れ、次にそのデマを流した責任をレイラさんにかぶせることで、ライバル二人を同時に片付けるという荒業に打って出たのである。

何も事情を知らない上司は、あろうことかAの話を鵜呑みにしてしまったので、その数日後、前途有望だったレイラさんとBさんは辞表を提出せざるをえなくなったという。

この手の話は、イランではしょっちゅう耳にするので、特段、驚くには値しない。嫉妬深いイラン人たちは、ごく小さな職場においてすら、日常的に政治家ばりにドロドロの権力闘争を繰り広げているのだ。

職場だけではない。この国では学校にも、隣近所にも、さらには親戚のあいだにすら、激しい嫉妬が渦巻いている。

それでいて、にこやかでフレンドリーなイラン人たちは普段、そうした感情をおくびにも出さないから厄介だ。この裏表の激しさというか、芝居のうまさにかけても、おそらくイラン人の右に出る者はいないだろう。

いつ、どこで、誰から嫉妬を買い、足をすくわれるかわからない現代のイランにおいて人々を苦しめるもの、それは深刻な相互不信である。

今日、イラン人が本当に恐れているのは、アメリカ人でもなければ、ロシア人でも中国人でもない。イラン人は、間違いなくイラン人自身をもっとも恐れ、そしてもっとも憎んでいる。

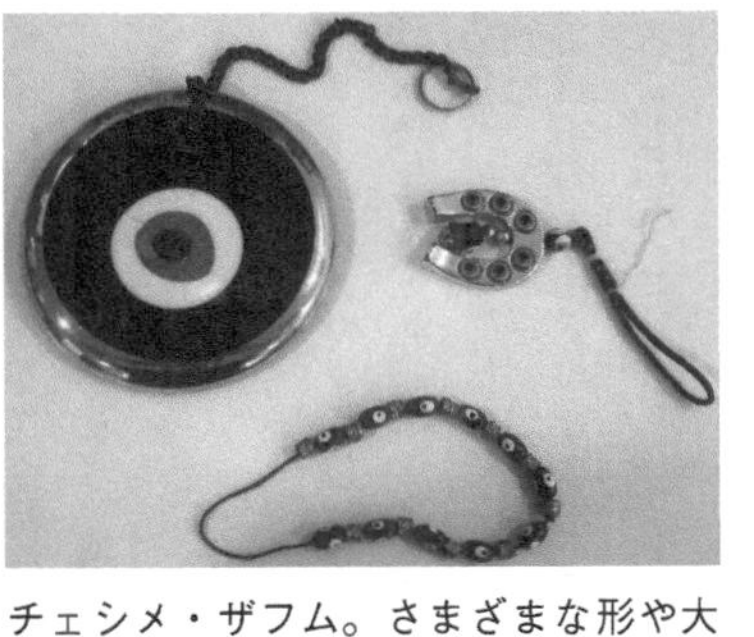
チェシメ・ザフム。さまざまな形や大きさのものがある。

ちなみに、彼らが「マレビト信仰」で旅行者や外国人を歓迎する、もうひとつの理由もここにある。相手がまったく利害関係のない人ならば、嫉妬を買ったり、策にはめられたりする心配もないので、安心して心を開くことができるというわけだ。

このようなイラン人の苦悩を数値で証明したのが、ギャラップ社による「悲観的な国民ランキング」である。

この調査で、イランは対象となった一四二か国中、不名誉な第一位を獲得したことがある（二〇一七年の調査結果。最新の二〇二三年の調査では、一三七か国中、第三七位）。

その原因のすべてが嫉妬に起因する相互不信にあるわけではないとしても、イラン人が対人関係で思い悩むとき、たいてい嫉妬がその背景にあることはたしかだ。

そんな彼らが、少しでも心穏やかに日々を過ごそうと、頼るアイテムがある。「チェシメ・ザフム」、すなわち「邪視除け」である。

チェシメ・ザフムは目をかたどった青いガラス玉で、同じものはトルコにもある。邪視という概念は、ヨーロッパから中東にかけての広い地域に存在するが、イランで邪視といえば普通、それは嫉妬の眼差しを意味する。

日本のお札やお守りのように、チェシメ・ザフムはイランの家庭ではほぼ例外なく目にすることができる。イラン人たちは、このチェシメ・ザフムが他人から向けられる嫉妬を「吸収」し、家族を災いから守ってくれると信じているのだ。

イラン人はつらいよ

読者の皆さんはそろそろ、「イラン人もなかなか楽じゃないな」と思い始めているのではないだろうか。

まったくその通りで、イラン人にはイラン人なりの美徳がある一方で、現代の日本人があまり感じないような気苦労も多いのである。

和気あいあいとおしゃべりに興じているように見えて、随所でタアーロフ（謙遜表現）を盛り込むイラン人は、親しい間柄でも自分の本心を押し殺している。

誰とでもすぐに仲良くなれる反面、プライベートをすべてさらけ出した後でプッツリ切れてしまうような、儚（はかな）い友情は日常茶飯事。

困ったときには人に頼ることができるとはいえ、その親切を返すためには少なからぬ時間と労力、そしてお金が必要で、なかなか自分のことにまで手が回らない。

そして、メンツと見栄のために常に自分を大きく見せ続けなければならない世の中には激しい嫉妬が渦巻いているので、片時も警戒を怠ることはできない――。

「イランの暮らしは、気が休まらない」。これは、多くのイラン人が政治や経済の問題とは別に、しばしばこぼす愚痴である。某人気映画のタイトル風に言えば、「イラン人はつらいよ」といったところか。

ところで、いわゆる「ニッポン万歳」の〝自己陶酔型ナショナリズム〟がわが国で目に余るようになって久しいが、「おもてなし」や「優しい日本人」などというのは、イランで暮らしてきた者からすれば、ほとんど虚像に等しい。

これは、日本に留学しているイラン人の友人マルジャンさんから聞いた話だが、あるとき自転車に乗って坂道を下っていた彼女は、ハンドル操作を誤り転んでしまった。荷物は道路に散乱し、擦りむいた手足からは血が流れ出ていた。

ところが、坂をひっきりなしに行き交う通行人たちは見て見ぬふりを決め込み、結局マルジャンさんのために足を止めた人は一人もいなかったという。イランならばありえない話である。

彼女は怪我以上に、精神的に大きなショックを受けており、私自身もこのときほど日本人として恥辱を覚えたことはない。

だが、そんな私にマルジャンさんは言うのだった。

「それでも私は日本が好きなんです。この国では、イランのように他人が干渉してこない分、個性や個人の能力を存分に発揮することができますから」

つまり、日本へ来たことでイラン社会特有の不毛な見栄の張り合いや、嫉妬の眼差しから解放された彼女は、いわばその「代償」として日本人の不親切も受け入れる覚悟だ、と言うのだ。

私自身はこうした考えに同意できない。なぜなら、親切と他人への不干渉は両立しうるし、そうした道をこそ日本人は目指すべきだと思うからである。相手が日本に不慣れな外国人であればなおさらだろう。

しかしながら、実はマルジャンさんと同じような意見をもっている在日イラン人は少なくない。彼らが、「冷たい日本人」を受け入れるとき、そこには「熱いイラン人」をいとわしく思う気持ちがある。

そもそも人間の長所と短所は、一枚のコインの裏と表のようなものである。

誰の話にもよく耳を傾ける人は優柔不断のそしりを受け、即断即決型の人は他人の意見に耳を貸さないと批判される。

イラン人の親切が、ややもすれば「干渉」と感じられるように、同じことは国民性についても言える。

そして、今日イラン人が国家レベルで抱える問題の多くも、実は一見すると長所に見える彼らの国民性と密接に関わっているというのが私の見立てなのだが、これについては章を改めて詳しく述べることにしよう。

第六章　イランは「独裁の無限ループ」から抜け出せるか
――小さな独裁者、コネ、歪んだ義理人情

この国民にしてこの政治あり

「イスラム革命以前のイランの歴史は、独裁の歴史であった」とするのは、イスラム体制の公式イデオロギーである。

だが、この歴史認識は、実はイスラム体制に批判的な人々からも一定の理解を得ている。「東洋的専制」を体現していた古代ペルシア帝国の時代から現代にいたるまで、たしかにイランに民主的な政治体制が敷かれたことは一度もなかったように見えるからである。

もっとも、そのように考える人々は、現在のイスラム体制をもまた、独裁に彩られたイラン史の忠実な後継者と考えている。

たとえば、革命の直接の原因を作ったとされるモハンマド・レザー・シャーと、現在の最高指導者ハメネイを比較してみても、その政治姿勢は奇妙なほど酷似している。

シャーは独裁に反発する国民に、「共産主義者」「マルクス主義者」のレッテルを貼り、それらが法律によって禁止されているという理由で、苛烈（かれつ）な言論弾圧を正当化した。

ハメネイもまた、表向きは「どんな反対意見も尊重されるべき」としながらも、実際には自由を求めて声を上げる人々を「ムスリムを堕落させる神の敵」などと呼び、反イスラム的な活動を禁じた憲法に違反するとして、彼らに銃口を向ける。

独裁者は、あからさまに法を踏みにじるのではなく、むしろ法を都合よく解釈し、これを盾にすることで横暴をふるうのだ。

シャーの独裁とハメネイの独裁の、どちらがマシか、ということは今ここでは重要ではない。イスラム革命という政治的大変革を経ながら、イランがなおも独裁のくびきに喘（あえ）いでいるのはなぜなのか、そのことを私は問いたいのである。

実は聡明なイラン人たちは、すでにその理由がどこにあるか、うすうす気づき始めている。彼らは言う、「結局、『われらより出でしもの、われらの上にあり』なのさ」と。

このことわざ（ペルシア語で「アズ・マースト・ケ・バル・マースト」）は日本語の「身から出た錆（さび）」に近いものがあるが、もうちょっとスケールが大きい。

つまり、「自分たちの間違った行いが、巡り巡って自分たちを苦しめている」という意味で、これを政治的な文脈で使う場合には、「この国民にしてこの政治あり」とでもいうような、諦観と自嘲のない交ぜになったニュアンスを帯びる。

イラン人自身がそう言うとき、彼らは独裁と、これに付随するさまざまな腐敗の原因を、イラン社会、より正確にはほかならぬイラン人の国民性のなかに求めている。

それは言いかえれば、イラン人一人ひとりが徹底した自己変革に努めない限り、イランは「独裁の無限ループ」からなかなか抜け出せない、ということでもある。

実は同様の問題意識は、イスラム革命黎明期の知識人のあいだにも存在した（たとえば、今ではほとんど顧みられなくなった社会学者シャリーアティーや、リベラルな法学者として知られたターレガーニーなど）。

しかし、そうした問題意識は国民に広く共有されないままいつしか忘れ去られ、結局、この国の独裁と腐敗もただその形を変えただけで、本質的に克服されることはなかった。

これもまたイラン人がよく口にする言葉に「歴史は繰り返す」というのがある。

実際、この言葉がイランほど当てはまる国もそうはあるまい。この国では、時間というものが、あたかもインド哲学的な円環を描いていて、どんなに進んでも必ず元いた場所に戻ってきてしまうかのようだ。

最終章となる本章では、「独裁を生み出しているのは、個々のイラン人である」という見立ての意味するところを明らかにしたうえで、イラン人がその歴史的課題である独裁なる政治体制を乗り越えるための方策を探ってみたい。

本当は自分が独裁者になりたいイラン人

前章でも述べたように、イラン人は人の下で働くことを嫌い、あらかたの仕事を覚えたら、すぐに独立したがる。彼らは、実力がともなっていようといなかろうと、何よりも一国一城の主であることを好むのだ。

そのためか、イランでは個人商店がまだまだ健在で、全国展開するチェーン店の数は少ない。

また、そもそもこの国では日本と違い、サラリーマンのような被雇用者の社会的信用は低く、住宅ローンなどを組む場合も、サラリーマンより個人事業主のほうが有利である。

だが、誰もが個人事業主に憧れる理由は、ほかにもある。イランでは人に雇われると、まず例外なくこき使われる運命にあるのだ。

私も実際に何回かイラン人経営者の下で働いた経験があるのでわかるが、多くの経営者は少ない報酬で従業員を限界まで酷使する。

そこまでではなくとも、この国では経営者と名のつく者たちは、おしなべて態度がデカい。日本には、「実るほどこうべを垂れる稲穂かな」なんてことわざがあるが、あれはこのイランではまず通用しない。

彼らはいかにも偉そうな命令口調でこと細かに指示を出し、すべてが自分の思い通りにならないと怒りだす。従業員の自主性など、この国ではほとんど無きに等しい。

誰の指示も受けることなく、従業員を意のままに操り、利益を独占するこの国の経営者たちは、言うなれば「小さな独裁者」である。

では、彼らにこき使われたくないと考える人間はどうするか。当然、「小さな独裁者」のもとを離れて自分の店なり、会社なりをもつしかない。

ところが、そうして独立した人間が従業員を雇い始めると、やがては彼も「小さな独裁者」へと変貌(へんぼう)してゆく。

その結果、やはり従業員たちを失うことになるが、彼らもいずれ「小さな独裁者」に成長し…、というサイクルがこの国では延々、繰り返されている。

「イラン人の苦悩は『なぜ独裁者に支配されているのか』じゃなくて、『なぜ自分が独裁者じゃないのか』ってことなんだよ」

第四章でご紹介した友人アミール君が、あるとき放ったこの名言を私は決して忘れない。

まさに彼の言うとおりで、たしかにイランでは、あの強すぎる嫉妬心も手伝って、誰もが「独裁者」たらんとしのぎを削っているように見えるのだ。

しかも、それは仕事の場面に限った話ではない。

最近でこそ、イランでも子どもを甘やかす親が増えているが、現在三〇代以上のイラン人たちは、ほぼ例外なく「小さな独裁者」のもとで育った経験をもっている。

私の友人でアラフォー世代のハディ君は、父親との確執について次のように語る。

「僕は田舎の実家を離れて二〇年以上経った今でも、両親、とくに親父のことを恨んでるよ。子どものころから、彼は僕がやりたいと言ったことにことごとく反対だった。欲しいものを買ってもらったことはないし、服や髪型を決めていたのも親父だった。

大学を選ぶときも法学部以外の選択肢は初めからなかった。僕は法学なんて全然、興味なかったのに。

親父にとって僕は魂のない人形のようなものだったのかもしれない。一人の人間としての僕に愛情を注いでくれたことなんか、ただの一度もなかったから」

おそらく、厳格で教育熱心な家庭に育った日本人のなかにも、多かれ少なかれ同じような経験をもつ人はいるだろう。

ただ、イラン人の場合、ハディ君のように親に自主性を踏みにじられて育った記憶が、親子関係に修復不可能な深い亀裂を生じさせてしまっているようなケースも珍しくない。

ハディ君は、父親からしばしば肉体的な虐待も受けていたが、それを具体的に語ることは頑なに拒んだ。辛い記憶を蘇らせたくなかったので、私もそれ以上聞くことは控えた。

イランの親だって子どもが憎いわけではなかろう。しかし、子どもに対して一生トラウマになるほどの抑圧を強いる教育は、やはり問題といわざるをえない。

親もまた「小さな独裁者」の一人と私が考える理由は、ここにある。

優しいイラン人、優しくないイラン社会

このように誰もが各々のテリトリーで「小さな独裁者」になろうとしているイランでは、社会のあらゆる空間に独特な閉塞感が漂っている。分かりやすく言えば「圧がすごい」のである。

たとえば、イランではちょっと買い物をしに入った店の主が、恐ろしく無愛想にして横柄ということがよくある。

そもそもイランでは、接客業というものは「客からお金をいただく仕事」というより、お金と引き換えに「客に欲しいものをくれてやる仕事」と認識されている。

だから、店と客の関係は、よくて対等、多くの場合は店のほうが上であり、店側が客にお

もねっているような例は稀である。

この国では、商店や飲食店に足を踏み入れる場合に、客のほうが下手に出て「今日もご苦労様です」などとご機嫌をとるのは普通で、お金を払って店をあとにする際も、「ありがとう」と言うべきは店ではなく客のほうだ。横柄な店は、こういう客側の卑屈な態度をいいことに威張っているのである。

もちろん、すべての店がそうというわけではなく、親切で感じのいい店もたくさんある。でも、そうした店でさえ、主がテレビに釘づけになっていたり、おしゃべりに夢中になっていたりと、客がいてもわがもの顔で振舞っていることが珍しくない。

客のほうもそれに対して目くじらを立てるようなことはない。「客よりも店のほうが上」という暗黙の了解があるからだ。

「まあ、それくらいのことは外国では普通だろう」と言うなら、これはどうか。

私は、買い物をするときは、じっくり吟味してから買いたいタイプである。ところが、イランでは店先であんまり長いこと迷っていると、主人が出てきて怒られることがある。

子どものころにも、よく駄菓子屋のばあさんに「早く決めて出てってくれ」と露骨に嫌な顔をされたものだが、イランという国で私は大人になった今も同じ目に遭っている。

それから、あるときディナータイムに入ったレストランで、店員がラストオーダーを取りに来るのを忘れたことを店主に訴えたら、「時計を見ながら注文しなかったあなたが悪い」と、思わぬ返り討ちに遭ったこともある。

私はこういう経験をするたびに、イランでは店主もまた、客にとっての「小さな独裁者」であることを痛感すると同時に、「なぜこんな理不尽な仕打ちを受けなければならないのだろう」と、釈然としない気持ちになる。

同じことは、旅行などで長距離バスに乗ったときにもしばしば起きる。

バスではもちろん運転手が「小さな独裁者」であり、添乗員（イランでは男性）はその権威を笠（かさ）に着た〝腰ぎんちゃく〟的な立場にある。

添乗員は通常、発車する前にまず乗客が「正しく」座っているかどうか確認する。たいていは、見知らぬ男女が近接していないかとか、一人でいくつも座席を占有している人がいないかなどを見ているらしいのだが、何の説明もなく一方的に席の移動を命じられ、こちらがモヤモヤした気分になることもある。

しかも、大概そういうときの添乗員の態度はひどくぞんざいで、「そこに座るな！」「こっちへ来い！」「そこじゃない、ここだ！」と、まるでこれから戦争捕虜を収容所かどこかへ送り込むような剣幕なのだ。

彼は道中、礼拝時刻となりバスが停車すれば「お祈り！」、夕食のために停まれば「晩メシ！」と乗客へ向けてたった一言、怒鳴る以外に目立った仕事をすることはない。

一方、運転手のほうはどうか。われわれ乗客には決して差し出されることのない、淹れたての紅茶を旨そうに飲んでいるくらいのことは、まあ許してやってもいい。

しかし、その彼が車内でタバコを吸うのはさすがに受け入れられない。

仮に乗客の誰かが車内でモクモク始めようものなら、あの〝腰ぎんちゃく添乗員〟が目の色を変えて飛んでくるに違いないのに、自分たちだけは何をしても許されると思っている。

こういう身勝手さも、「小さな独裁者」にありがちな特徴のひとつだ。

思うに、長距離バスの運転手や添乗員にしても、あるいは店を切り盛りする主人にしても、普通に友達として出会って付き合う分には、何の問題もない人たちだろう。

ところが彼らは、社会の構成員として、ある種の肩書きと権力を手にした途端、それらを振り回す「小さな独裁者」に豹変してしまうのだ。

こうなると、イラン社会には無数の「支配」と「被支配」の関係が生まれることになり、個々のイラン人がもっているはずの優しさも、社会全体としては感じられにくくなってしまう。

この「優しくない社会」と「優しくない政治」、すなわち独裁なるものが、まったく無関係に存在しているとは私には思えない。

三人寄っても文殊の知恵は出てこない

次に、「小さな独裁者」を戴いている側、すなわち会社ならば従業員、店ならば客、長距離バスならば乗客に相当する立場に置かれた人間のほうに注目してみよう。

私は旅行が好きで、ときどき日帰りのツアーに参加することもある。イランのツアー・ガイドは、歴史から自然科学にいたるまで、実に豊富な知識をもっているので勉強になる。ツアー旅行にも「独裁」の論理を応用するならば、ここでの「小さな独裁者」は、もちろんガイドということになろう。

だが、そこでガイドに対しツアー参加者たちが示すリアクションは、日本ではおよそ考えられないものである。

彼らはまず、ガイドの説明に大人しく耳を傾けるということがない。

ガイドが一言発すれば、すかさず何人もの人たちが「それは違います」、「私の考えでは…」、「私が聞いた話だと…」、「今のお話に付けたすなら…」といった具合に、各々勝手なことをしゃべり出す。

なぜなら、嫉妬深い彼らは、「ガイドが大勢の前で話をしているのに、どうして自分には発言する権利がないのか」と考えているからである。これは、「なぜ自分が独裁者じゃないのか」という例の理屈にも通じるものがある。

もっとも、私は不規則発言が許容されるような雰囲気じたいは、決して嫌いではない。誰もが黙りこくって「偉い人」の話に聞き入っているような場のほうが、よっぽど気持ち悪いとすら思う。

しかし、それも時と場合によりけりだ。こちらが、専門家であるガイドの説明をとりあえず最後まで聞きたいと思っているときに、ど素人の発言によってそれが中断されるのはやはり不快である。

そんなとき、たいていのガイドは〝強権〟を発動し、不規則発言を抑え込むのだが、寛大なガイドだと、取るに足らない発言をまともに相手にして、収拾がつかなくなる。

おそらく、子どものころに学校で似たような経験をした読者は多いと思うが、いわゆる「優しい先生」は時として考えもので、生徒たちの無秩序を自ら助長してしまうことがある。

そのため、しばしば「厳しい先生」のほうが人気を集めるのと同じで、イランのガイドも「小さな独裁者」であったほうが全体の利益に適っていて、むしろ歓迎される場合がたしかにあるのだ。

「小さな独裁者」の必要性をより強く感じるのは、そのポジションがはじめから不在の場合である。

ある晩、パーティーのために集まった私たち四人は、ボードゲームで遊ぶことになった。四人とも歳が近く、気心の知れた仲だったので、私たちのなかに「小さな独裁者」はいなかった。

さて、ゲームを始めたところ何が起こったか。

私以外の三人のイラン人が、「僕の知っているルールは……」、「私のいつものやり方は……」と、てんでんばらばら、独自の遊び方を主張し始めたのである。

それだけならまだよかったのだが、しばらくすると他人のルールに合わせさせられて劣勢に陥った人たちが、形勢を挽回しようと露骨な禁じ手を繰り出す始末である。

こうなると、もうゲームにならないし、誰にとっても楽しくない。一人、二人と抜けていき、結局一回戦が終わる前にゲームは自然消滅してしまった。

そのとき、私は「三人寄れば文殊の知恵」という、あの有名な日本のことわざを思い出していた。

三人のイラン人は、自分たちが慣れ親しんだルールを押しつけ合う代わりに、互いに食い違う認識を擦り合わせ、誰もが納得する統一のルールのもとゲームを楽しむこともできたはずである。

だが、彼らはそうしなかった。「文殊の知恵」は出てこなかったのである。その結果どうなったかといえば、ゲームそのものが成立しなくなってしまった。「たかがゲームだろう」と、あなどってはいけない。ゲームにおいてすら意見を集約できない人たちが、社会生活において全体の利益を考えることができるだろうか。

ここにこそ「小さな独裁者」を呼びこむ素地がある。「公」よりも「個」が優先されるために、「協調」よりも「対立」が目立ち、その結果として「収斂（しゅうれん）」よりも「拡散」のベクトルが強いこの国の社会において、「小さな独裁者」たちは、一面では人々をまとめ上げ、秩序を生み出す役割を担っているのだ。

「大きな独裁者」を生み出す三つの要因

では、もう少し視野を広げて、今度は法律というかたちで実際に国家権力が人々に及ぶような状況を考えてみよう。

近年、イランでは自動車の交通ルールが厳しくなっている。

その結果、シートベルトの不着用、逆走、駐車違反、スピード違反、信号無視、それに乗車定員オーバーや、荷台に人が乗ることなど、かつては当たり前だった違反行為が、最近は目に見えて減ってきた。

それに大きく貢献しているのが監視カメラの存在である。とくに大都市では、比較的狭い道の頭上にもカメラが設置されているので、警官が立っていないからといって油断はできない。

だが、そこまでされても〝屈しない〟のがイラン人である。

彼らは、交通ルールを破らざるをえない場合（というのも変だが）、前後のナンバー・プレートを外すか、紙や布などで覆ったうえでカメラの下を通過する。

そして、「どうだい、今日はナンバーを隠して飛ばしてきたから早く着いただろ？」と、彼らはそのことを少しも悪びれないばかりか、むしろ手柄のように話す。

もちろん常習的にこういうことをする人は、全体から見ればごく一部である。

ただ、そこまでではなくても、まずカメラや警官の姿がないことを確認してから、こっそり何らかの違反行為に及ぶ、という人は今でも非常に多い。「バレなければ許される」という発想は、老若男女を問わずほとんどのイラン人に共通している。

それから、いろいろな場所で提出が義務づけられている証明書類（たとえば、残高証明書、合格証明書、医師の診断書など）の偽造もイランではごく当たり前に行われている。

偽造といっても、〝その道のプロ〟が書類に細工を施すわけではない。そうではなく、普通の人間が、それらを発行する機関で働いている親戚や友人に頼みこんで、データもろとも改竄（かいざん）してもらうのだ。

優しくて義理人情に厚いイラン人は、こういう頼みを受けたら断ることができない。というか、力になってやるのが人の道だとさえ思っている。法的に問題があると分かっていても、法と人情が天秤にかけられると、彼らは人情を取ってしまうのだ。

このようなイラン人の遵法意識の低さには、三つの要因があると私は考えている。

一つ目は、「そもそも他人の決めた規則に縛られるのはご免だ」という、「イラン的反骨精神」である。

彼らは常に「なぜ自分が独裁者ではないのか」と自問している人々だ。罰金や投獄は避けたいが、お上の定めた法律に唯々諾々と従ういわれもない。彼らはそう考える。たとえば、交通規則を守らない人はこうした発想に立っている。

二つ目の要因は、あの「メンツ至上主義」である。前章で、イランではカンニングが多いという話をしたが、イラン人はメンツを守ろうとするあまり、しばしば不正を犯すことも辞さない。証明書を偽造してもらおうとする人も、ここに含まれる。

そして三つ目が、さきほども述べた「歪んだ義理人情」である。これは、イラン人の「優しすぎるほどの優しさ」の裏返しであり、私としても批判するのが心苦しい部分があるが、実はある意味で上記二つの要因よりも根が深い。

なぜなら、人々が単に「反骨精神」や「メンツ至上主義」で法律を破っているだけなら、罰則を強化することでかなりの程度改善されるのだが、ここに「義理人情」が入り込むと、違反の手助けやお目こぼしが横行し、どんなに厳しい法律を作っても法律そのものが形骸化してしまうからだ。

その結果、何が起こるかというと、ないがしろにされた凡百の法を超越する存在、すなわち「大きな独裁者」が出現するのである。

私は、今日この瞬間も独裁のくびきに喘ぐイラン人を「自業自得だ」とまで言うつもりは毛頭ない。最高指導者ハメネイの、人命と人権を軽視した政治姿勢はいかなる理由をもってしても正当化することはできない。

しかし、独裁なるものは、ある日忽然と空から降ってきたものではない。いや、独裁のみならず、あらゆる政治体制には必ずそれを生み出し、存続させるだけの内的要因がある（もちろん、このことは日本の政治にもあてはまるわけで、決して他人事ではない）。

イランの独裁を考えるとき、遵法精神が低く、したがって法治主義を下支えする力の弱い、この国の人々の側にも問題がないとはいえないのである。

正直者が馬鹿を見る

法よりも人情が優先されるイランでは、縁故主義の蔓延も深刻な問題だ。

ライシ現大統領をはじめ、イスラム共和国の大物政治家たちの多くが、最高指導者ハメネイと親戚関係にあることはよく知られている。

その顔触れのなかには、いわゆる保守派のみならず、改革派と呼ばれる人物も多く含まれているため、イラン人はイラン政治自体をひとつの壮大な「茶番劇」とあざ笑う。

また、イランの経済はハメネイに忠誠を誓う革命防衛隊によって牛耳られており、これとコネクションを築いている企業が優遇される。政界と財界の癒着は王政期にも見られたことで、この点でもイランは革命の前後で本質的に変わっていないと言える。

このようなコネ社会が問題なのは、公平な競争が阻害されてしまうからだ。

たとえばイランでは、イラン・イラク戦争の戦死者（イランでは殉教者（シャヒード）と呼ばれる）の子孫は、就学や就職において優遇される仕組みになっているので、彼ら彼女らの人生は、生まれながらにしてほぼ安泰である。

一方、親族に殉教者をもたない者たちは、どんなに優秀で、どんなに血のにじむような努力をしたところで、それが報われる保証はない。

あるいは、この国では高学歴の若者たちが、飲食店で雇われたり、タクシーの運転手になったりする。その背景には、不況で働き口が減っていることもあるが、いちばんの理由は就職のために必要なコネを見つけられないことだ。

もちろんコネがなくても、運よく就職できる可能性はある。しかし、問題はそのあとだ。

「あー、イライラする。サトシさん、ちょっと聞いてくれる？」

ある晩、私は日本びいきのレイラさんから電話を受けた。彼女の声のトーンから、何かただ事ではない予感がした。

「私が今いる会社、あなたも知ってるわよね？　そう、ホームページ作成の会社。この前ね、ずいぶん若い女の子が一人、入ってきたの。仕事は全然できないくせに態度だけは一人前だから、何かおかしいとは思ってたのよ。

そしたら私、今日いきなり上司に呼ばれて。何だろう？　と思ったら、藪（やぶ）から棒に『来月から君の給料を減らす』って言うじゃない。

理由を聞いたら、『新人に給料を払わないといけないから』って。そう、あの新しく入った女の子よ！

よくよく聞いてみたら、彼女、社長の親戚なんだって。私、それですべて腑（ふ）に落ちたの」

レイラさんはとても真面目な性格で、仕事もよくできるのだが、この会社での勤務歴は浅く、それゆえに理不尽な減俸の対象とされてしまったようだ。

このことがきっかけで結局彼女は数日後、自ら会社を辞めた。

「当然でしょ？　もちろんムカつくけど、これがコネ社会イランの現実よ。まあ、こういうの別に初めてじゃないから、また頑張って別の会社を探すつもり」

　真面目に働いている有能な人間が、コネをもたないがために冷や飯を食わされる。まさに「正直者が馬鹿を見る」といった感じだが、問題はそれだけにとどまらない。

　コネ社会のイランでは、いくら法律に則(のっと)って正攻法で押しても、一向に埒(らち)の明かない状況に直面することがしばしばある。とくに役所が関わってくる場合はそうである。

　そんなとき、私のようにコネがない人間はどうするか。

　あまり大きな声では言えないが、袖(そで)の下を使うのである。それは必ずしも大金である必要はなく、ちょっとしたお土産やプレゼントのようなもので事態が動くこともある。

　もうひとつ役に立つのが、前章でご紹介したタアーロフである。

「私はあなたの下僕です」とか、「この身をあなたに捧げるつもりです」とか、臆面(おくめん)もなく歯の浮くようなお世辞をふりまいて、担当者の歓心を買うのだ。

　タアーロフはいずれも大袈裟な謙遜を中心とする儀礼的な表現だから、話し手の本心とは基本的に関係がない。それでも、やはり言われたほうは悪い気はしないようで、とくに袖の下の効果を最大限に高めようと思ったら、タアーロフは絶対に欠かせない。

　何が言いたいかというと、イランのようなコネ社会では、法律の命じるところに従い、「王道」を歩もうとする私のような人間であっても、否応なしに袖の下やタアーロフといった「邪道」に引きずり込まれてしまう、ということだ。

レイラさんはかつて私に、「イランで善良な人間であり続けることほど難しいことはない」と言ったが、これもまた珠玉の名言だと思う。

コネ社会の本当の恐ろしさ、それは単に公平な競争が阻害されるだけではなく、そこからあぶれた善良な人間をも堕落させ、その良心を蝕（むしば）んでゆくところにあるのである。

独裁者のせいで遅刻しました!?

やや悲観的なことばかり述べてきたので、読者の皆さんは、そろそろ暗澹（あんたん）たる気持ちになってきたかもしれない。

このあたりで、ひとつ明るい話をしよう。

テーマはズバリ、「独裁国家のいい所」である。

「いい所」と言っても、たとえば「独裁国家では『小さな独裁者』として好き勝手ができる」とか、「努力しなくてもコネを使えばおいしい思いができる」とか、そんな有り体の話ではない。

仮にあなたが「小さな独裁者」になれず、コネらしいコネすらもっていなくても、「ああ、独裁国家に生きていてよかった！」と思える瞬間が、イランでは必ずある。

たとえば、二〇二二年の反体制デモの際、政府はインスタグラムやワッツアップを含む、ほぼすべてのSNSアプリにフィルタリングをかけるという、前代未聞の強硬措置でデモを抑え込もうとした。SNSは、ビジネスや教育の現場でも日本以上に活用されているので、これが使えなくなると社会生活全般がストップしてしまう。

焦った人々は使い慣れたVPNを起動させ、フィルタリングを迂回しようと試みた。しかし、どういうわけか今回は既存のVPNがまったく役に立たない。そのため、数週間にわたり混乱が続くことになった。

ところが、そのとき人々の取った行動は大きく二つのパターンに分かれていた。パターン一は、「あらゆる手段を使って、有効なVPNをいち早く手に入れる」。そしてパターン二は、「VPNが機能しないことを口実に、仕事や勉強をサボる」である。

当然、パターン一を選んだ人たちのほうが多かったとはいうものの、私が観察した限り、パターン二と思われるケースも決して少なくなかった。

何が言いたいかというと、イランの独裁は、しばしば怠け者や無能な人間にとって格好の〝隠れ蓑（みの）〟になるということだ。

「独裁のせい」ということにして被害者ヅラをすれば、たいていのことは「じゃあ仕方ないね」と許してもらえるような雰囲気が、この国にはたしかにある。

独裁そのもののみならず、独裁を生み出し、それを支えている無秩序な社会も、時として便利な言い訳を提供してくれる。

たとえば、イランでは役所はもちろん、取引先や顧客などが約束を守らなかったり、想定外の無理難題をふっかけてきたりして、しばらく仕事が宙に浮いてしまうことがよくある。無秩序とはそういうものである。

だが、怠け者たちはこれを逆手に取る。

つまり、人から頼まれた仕事を、期日までに片づけられなかったり、うっかり忘れていたり、はたまたやる気が起きずに放置していたときなども、「私はやるべきことをやりましたが、先方が動いてくれないんです(泣)」と嘘をついて切り抜けるのである。

もし、イランで何かやらかしたときは、是非このテクニックを使っていただきたい。たちまちあなたは無罪放免となり、あわよくば、待たせている相手の同情を買うことだってできるだろう。

それから、これは私と友人のあいだで実際に起こった話だが、彼はあるとき、約束の時間にだいぶ遅れてやって来たことがあった。交通渋滞に巻き込まれたのだという。

こちらは相当長いこと待ちぼうけを食らったので、当然、この友人の口から何らかの謝罪があるものと思っていたのだが、彼の放った一言に私は言葉を失った。

「ハメネイがちゃんと交通網を整備しないせいで、とんだ目に遭わされちまった」

何だって？　それなら言わせてもらうが、イランで渋滞なんて日常茶飯事だろう。君はどうしてそれを考慮に入れたうえで出発時間を計算し、家を出なかったのか。

要するに彼は、「ハメネイのせいで遅刻した」と言っているのだ。だが、もしそんな言い訳がまかり通るなら、「ハメネイのせいで風邪を引いた」とか、「ハメネイのせいで彼女にフラれた」とかも認められなくてはならない。

だとしたら、この国の支配者は、独裁者どころか世界でいちばん寛大な政治指導者かもしれない。なぜといって、今この瞬間もイラン国民一人ひとりのしくじりの全責任を、彼は一手に引き受けているのだから――。

以上が「独裁国家のいい所」である。

もし、あなたが「自己責任論」かまびすしい昨今の日本の風潮に嫌気がさしているなら、一度イランにいらっしゃるのも悪くないだろう。あらゆる責任追及から解放されたあなたは、この地で大いに英気を養うことができるに違いない。

ところで、この私自身も独裁や無秩序を言い訳に使うことがあるのか、という疑問が読者諸氏のなかに残っているかもしれないが、そこはご想像にお任せする。

おらが村こそイランー!――強すぎる愛郷心

「独裁国家のいい所」などと言ってきたが、もちろんこれは皮肉である。独裁国家によって報われているのは、必ずしも独裁と癒着した人たちだけではない。そうではなく、実は独裁を目の敵にしているイラン人のなかにも、無意識のうちに独裁に甘え、これに救われている者たちが相当いるのではないか。私が言いたかったのは、このことである。

「小さな独裁者」や、主張の強すぎる「個」、そして遵法精神の低さなどは、多かれ少なかれイラン人自身も自分たちの欠点として自覚していることだ。しかし、この「独裁への甘え」という問題に自覚的なイラン人は、あまりいない。

たしかに、この問題は独裁を生み出す要因とまでは言えず、どちらかというと独裁を生かし続ける要因だろう。

とはいえ、民主政治が、「結果に対する責任を負う覚悟のある市民」によって担われるものであるとすれば、何でもかんでも独裁政治のせいにしてしまうイラン人の「責任転嫁体質」もまた、この国に民主主義が根付く妨げのひとつになっている可能性はある。

独裁を考えるうえで、イラン人の多くが無自覚である問題はほかにもある。

そのひとつが、彼らの強すぎる愛郷心だ。

ほとんどのイラン人は自分の生まれた町や村を、イランでもっとも美しく、もっとも優しい人々にあふれ、もっとも美味しい料理の食べられる場所と信じて疑わない。彼らは文字通り「おらが村こそイラン一」と考える人々なのだ。

もちろん、自分の生まれ育った土地に愛着を覚えるのは日本人も同じなわけで、人間としてごく自然な感情である。

ただ、そうした愛郷心が時として他地域への偏見や軽蔑につながるものであることも、われわれは知っている。

たとえば、日本では東京都民といえば「マナーはいいが冷たい」、大阪府民は「ひょうきんだがケチ」、京都府民は「愛想はいいが腹の底は分からない」といったイメージが、真実かどうかは別として定着している。

イランもこれとまったく同じで、エスファハーン人といえばケチ、シーラーズ人は怠け者、ヤズド人は石頭、マーザンダラーン人は強欲、アラーク人は嘘つきと相場が決まっている。

ただ、イランが日本と違うのは、ここに民族や言語、宗教の違いも加わってくることだ。テヘランのような大都市では、ペルシア系、トルコ系、クルド系、ロル系、アルメニア系といった様々な民族の人々が、公用語であるペルシア語を話しながら表向きは平和的に共存している。友人や恋人となる際も、民族の違いはさほど意識されない。

ところが、たとえばペルシア系とトルコ系という、異なる民族に属する二人のイラン人のあいだに何か問題が起きたりすると、様相は一変する。ペルシア系はペルシア系の友人とともに「あいつはトルコ系だから」、トルコ系はトルコ系の友人を訪ね「あいつはペルシア系だから」と、双方が相手の民族的出自を理由に陰口を言い合うのだ。

幸い、イランでは現在のところ目立った民族紛争は起きていない。しかし、異民族に対する潜在的な不信感は、今もほぼすべてのイラン人の心のなかに眠っていると言ってよい。イランという国が、こうした異民族間の危うい均衡、かりそめの融和のうえに成り立っていることを忘れてはならない。

一方、同じ民族同士ならば常に団結しているかというと、そう単純な話ではない。なぜなら、あの「おらが村こそイラン一」という、強すぎる愛郷心が頭をもたげてくるからだ。ゆえに、サナンダジュ出身のクルド系が集まれば、「ケルマーンシャー出身のクルドは本物のクルドではない」というような話になる。傍から見ている者にとっては、「同じクルドに本物も偽物もないだろう」と思うのだが、彼らにとってはそうでないらしい。

このようなイラン人の複雑なアイデンティティを、私自身の認識をもとに図式化してみたものが次の図だ。

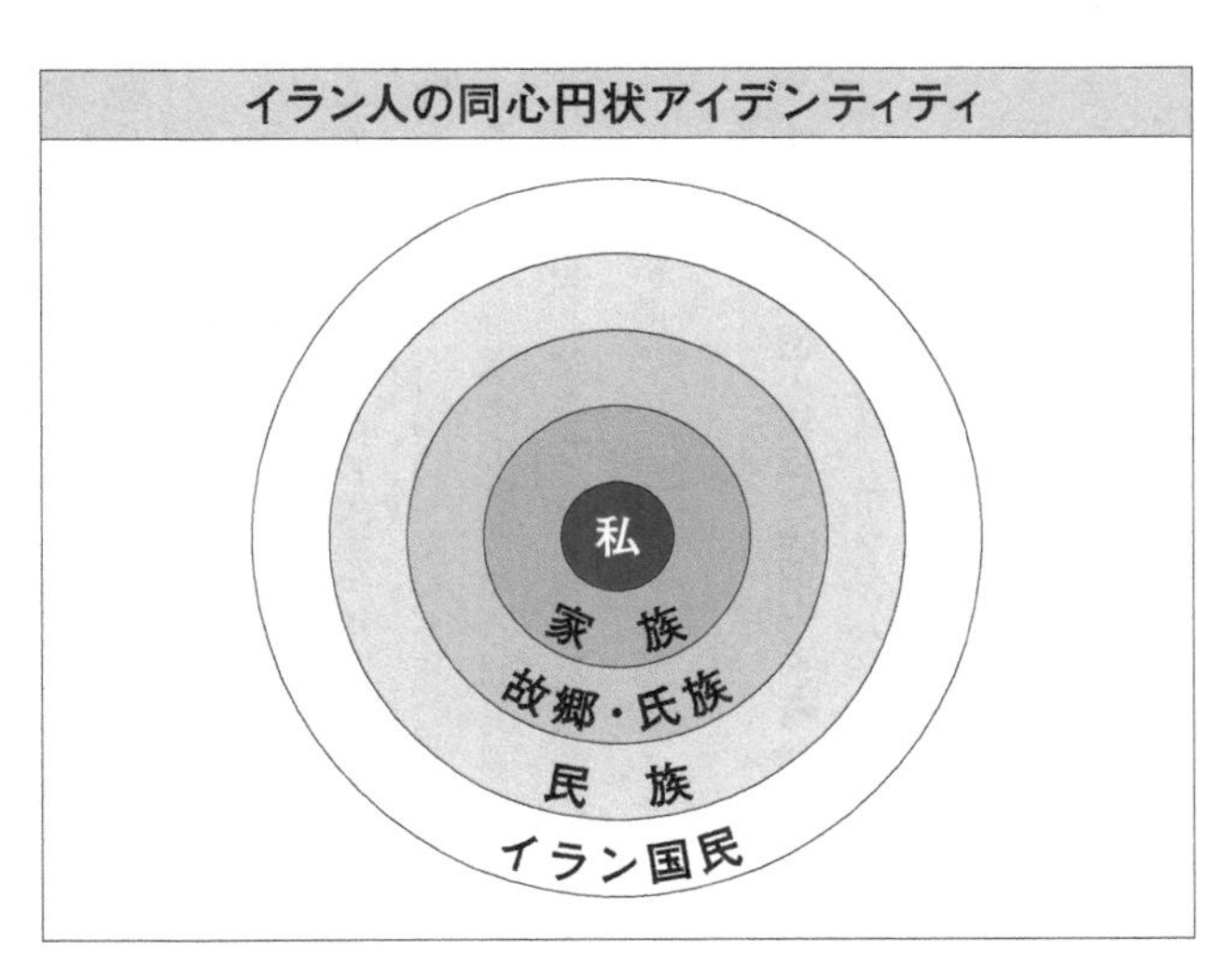

今これを仮に「イラン人の同心円状アイデンティティ」と呼ぶことにしよう。

注意すべきは、一人のイラン人がどのアイデンティティをもっとも強く意識するかは、状況次第で容易に変わりうるということだ。

基本的な傾向として、危機が小さいほど内側のアイデンティティが、大きいほど外側のアイデンティティが顕在化するようになる。

何事も起こらない平穏な日常を送っている限り、人は自分のことだけ考えていればよい。そのとき、アイデンティティは図の「私」にある。

一方、革命や戦争のような国家的危機が迫ると、アイデンティティは「イラン国民」へと拡大する。二〇二二年の反体制デモが、マフサ・アミニという一人のクルド系の女性の死に端を発するものであったにもかかわらず、あらゆる民族が、一国民として等しく義憤に駆られ、デモがイラン全土に波及したのはこの好例である。

言いかえれば、イラン人は甚大な危機を感じない限り、せいぜい「民族」や「故郷」といったアイデンティティを感じるにとどまり、そこに安住してしまうのだ（バルーチ系など、血縁を重視する一部の民族の場合は、「故郷」とならび「氏族（民族を構成する血縁集団）」というアイデンティティももっている）。

このような人々をひとつの国民国家にまとめ上げようと思ったら、やはり強力な中央集権体制が必要となるのは、ある意味当然ではないだろうか。

その選択肢のひとつが独裁であったとしても、私は驚くに値しないと思っている。

イラン人は個人崇拝と訣別できるか

もうひとつだけ、イラン人がほとんど自覚していないが、独裁との関係で是非とも指摘しておかなければならない問題が残っている。個人崇拝という悪しき政治文化だ。

もっとも、政治的「カリスマ」を待望する風潮は日本でも日に日に高まっており、これもまた他人事とは言えないテーマである。

イランはこの一世紀のあいだに、レザー・シャー、モハンマド・レザー・シャー、ホメイニ、そしてハメネイという、四人の「カリスマ」を輩出した。
最終的には、その全員がもれなく「独裁者」と呼ばれることになったとはいえ、少なくとも一時的には（もしくは一定数の人々からは）、「カリスマ」として崇拝の対象となってきた。

そしてイラン人は今、またしても新たな「カリスマ」に絶大な期待を寄せている。第四章でご紹介したレザー・パフラヴィーだ。

彼が帰国し、権力を握れば、現在のイランが抱えるあらゆる問題がきれいさっぱり解決され、バラ色の未来が約束されるかのように考えている人は多い。

しかし、歴史を振り返るとき、レザー・パフラヴィーもいずれ独裁者とならない保証はどこにもない。

話は現代史だけにとどまらない。イラン人は、千年以上も前にこの世を去った「カリスマ」たちを、今も熱心に崇拝している。

その最たるものが、イランの国教である一二イマーム・シーア派の歴代イマーム（共同体の指導者）たちだ。なかでも篤い信仰を集めているのが、初代イマームのアリー（西暦？―六六一）と、その息子で第三代イマームのホセイン（同六二六―六八〇）である。

とくに、対立するウマイヤ朝軍と戦い、非業の死を遂げたホセインの命日には、今もイラン各地で毎年盛大な追悼行事アーシューラーが開かれ、人々は大声で泣き叫びながら「カリスマ」を失った悲しみを表現する。

また、一二代目にして最後のイマームは「マフディー（救世主）」と呼ばれており、いつの日か再びこの世に降臨し、全世界に絶対的な正義をもたらす存在と信じられている。

一方、それらを「出鱈目な作り話」と鼻で笑う最近の若者たちは、さらに紀元前まで遡って、アケメネス朝ペルシアのキュロス大王を英雄視する（八二―八三ページ参照）。

だが、彼らがキュロスを理想の国家指導者として称え、その再来を夢見るとき、皮肉にもそれは「救世主」を待ち望むシーア派の発想と寸分たがわないものとなってしまうのだ（当然、レザー・パフラヴィーにキュロスを重ねるような言説も存在する）。

かつて私はイランで（不勉強な）学生だったころ、若い女性の先生から、「イラン史上もっとも偉大と考えられる英雄を一人選び、論じよ」という課題を出されたことがある。

そのとき、私やほかの学生たちがどんな人物を取り上げたか、今となってはまったく記憶にないが、課題設定そのものに強い疑問を感じたことだけは覚えている。

そもそも、「偉大」とか「英雄」（「カリスマ」と言いかえてもよい）といった情緒的な言葉を学問の場に持ち込むこと自体、私には違和感があった。

そうでなくても、完全無欠にして、手放しで礼賛できるような人間などいるはずがない。

そして何よりも、私はカリスマだけが歴史をつくる主体とは考えていない。カリスマが生まれる背景には、いつの時代も名もなき一般民衆の姿があったはずだし、これからもそうであろう。

ところが、実際にイラン人たちと話してみると、彼らのほとんどがこの先生と同様、イランの歴史を、入れ替わり立ち替わり登場する「カリスマ」たちによって築かれたものと認識していることがわかる。

分かりやすく言うと、織田信長や豊臣秀吉のような豪傑が、数十年から数百年に一度の周期で現れるような感じだ。

しかし、「カリスマ」と「独裁者」が紙一重であるという現代史の教訓に学ぶならば、イラン人はもっと社会や民衆に目を向けた歴史観を養っていくべきではないだろうか。

二〇二二年の反体制デモを含め、ここ一五年ほどイランで断続的に続いている民衆運動には、傑出したリーダーがいないと言われる。

それを運動の弱点として指摘する声もあるが、私は必ずしもそうは思わない。なぜなら、このことが個人崇拝という悪しき伝統と、イラン人が訣別するきっかけになるかもしれないからだ。

だから私は「カリスマ」を待望するイラン人に言いたいのである。

「他力本願はやめよう。主役はあなた自身だ！」と。

おわりに

率直に言って、私はイラン人に嫌われるタイプの外国人である。

そして今、この本を書き上げたことで、ますます彼らに嫌われることになるかもしれないが、その覚悟は一応できているつもりだ。

本書中でも述べたとおり、イラン人は基本的に外国人が好きである。だが、外国人ならば全員が全員、というわけでは必ずしもない。

私の経験則から言うと、彼らはイラン料理とイラン音楽、あるいは（イランの国民的スポーツである）サッカーのいずれかを愛する外国人を、とりわけ歓迎する傾向がある。

しかし、お気づきのように本書は、料理、音楽、サッカーといったテーマは、いずれも完全にスルーしている。

もちろん、私だってイラン料理は美味しいと思っているし、好きなペルシア語の歌もいくつかある。サッカーも、イランや日本のワールドカップの試合くらいは観ている。

だが、イラン人には申し訳ないが、私はそれらについて何か書いてみようというほどの強い興味や知識は、正直持ち合わせていない。

そのかわり、と言っては何だが、この国に生きる人々、すなわちイラン人という存在にはひとかたならぬ魅力を感じている。

なぜといって、世界広しといえども彼らほどわかりにくく、矛盾に満ち、小悪魔のように様々な表情を見せながら私を振り回す人々はほかにいないからだ。

いかにもムスリムらしく見えて、イスラム嫌い。一見、陽気なようで陰気であり、自信家と思いきやコンプレックスの塊であるイラン人。

「はっきりせんかい！」と心の中でツッコミを入れながら、なんとかそこに法則や一貫性のようなものを見出すべく、私は彼らとがっぷり四つで向き合ってきた。その一応の成果が本書である。

何年も飽きずにそんな〝独り相撲〟に明け暮れ、これからも同じことを続けるつもりでいる私は、あんまり認めたくはないが、結局イラン人が好きなのだろう。

「かわいさ余って憎さ百倍」のことのほうが多いが、それすら楽しんでいるようなところも、ないとは言えない。

ちょっと大袈裟な言い方をすれば、私にとってイラン人について考えることとは、人間とは何かを考えることであり、ひいては国家とは、宗教とは、そして歴史とは何かを考えることでもある。

ただ、私は知っている。

当のイラン人は、こういうタイプの人間よりも、美味しいイラン料理に舌鼓を打ち、片言のペルシア語を二、三覚えたら、適当なところで帰国してくれるような素直な外国人のほうが、よっぽど好きだということを。

イラン人を上から下へ、右から左へとねめまわした挙句、あろうことか一冊の本までものし、「ああでもない、こうでもない」と御託を並べる私のような人間は、どう考えてもお呼びでないのだ。

その一方で、諦めの悪い私は、げんこつや平手打ちの一発や二発は食らう覚悟で、是非とも本書をイランの方々にも読んでもらいたいと思っている。

読者の九割以上を占めるであろう日本人の皆さんが、本書の内容をどう受け止めるのかは、正直私にも予想できない。

だが、イラン人の読者の反応はおそらく以下の三つに分かれるものと推測する。
①イスラム体制への批判を理由に、本書を全否定する
②イスラム体制への批判は評価するが、イラン人への批判は誤りであるとする

③イスラム体制への批判も、イラン人への批判も正当なものとして評価する

このうち、①に関しては、もはや「好きにしてくれ」としか言いようがない。そうやっていつまでも「保守派」を自任する人々は、いつか必ず歴史の裁きを受けることになるだろう。

一方、③については、筆者冥利に尽きるといったところで、感謝しかない。

少し厄介なのは②である。多分、「メンツ至上主義者」の彼らはこう言うだろう。「たしかにイラン人自身にも問題はあるが、全員ではない」。あるいは、「私自身は批判されるような人間ではないはずだ」と。

なるほど、そのとおりかもしれない。だが、少し考えてみてほしい。

たとえばどこの国でも、事故や事件を起こしたり、それに巻き込まれたりする人間は、ごく一握りである。しかし、その一握りの人たちのために警察があり、裁判所があり、法律がある。

つまり何かというと、国家システムというものは必ずしも常に社会の多数派のために存在するのではない、ということだ。むしろ、相対的には少数の人間によって、その在り方を規定されている部分が大きいとすら言えるのである。

だから、ひとつの国民について語るときも、「全員ではない」とか「私は違う」といった

反論は、まったく的外れである。考慮すべきは数ではなく、その存在がもつ影響力や破壊力のほうだからだ。

イランという国を考える際にも同じことが言える。

第二章でご紹介した、イラン人のバイブル『シャー・ナーメ』のなかで、詩人フェルドゥースィーはこう警鐘を鳴らしている。


牙むきし豹に情(なさけ)をかくことは／羊群(ようぐん)に虐を加うるに等しからん

豹、すなわち独裁者を利するような行いは、羊たち、つまり無辜(むこ)の民を間接的に虐げているのと同じことである——。

千年の時を超えて、フェルドゥースィーの言葉が、今日もなおその意味を失っていないと思うのは私だけではないだろう。

知らず知らずのうちに、イスラム体制に手を貸していないか——。新生イランは、イラン人一人ひとりがこうした自己点検を行うなかから、その産声を上げることになるに違いない。

そのうえで、今後一〇年程度でイラン政治に起こりうる変化として、私は以下のような三つのシナリオを予想している。

①イスラム体制の崩壊
②イスラム体制を維持したままでの民主化
③イスラム体制による一層の締めつけ強化

「一〇年程度」としたのは、今年（二〇二四年）八五歳となる最高指導者ハメネイの遠からぬ死が、ひとつのターニングポイントとなると見られるためだ。

このタイミングで再び大規模なデモが起きれば、軍など権力中枢からも離反者が出て、イスラム体制が総崩れとなる可能性はある（①）。

本書でも述べたように、若い世代を中心に多くのイラン人はこうしたシナリオに期待を寄せているわけだが、他方でイスラム体制の守りも相当に堅い。レザー・パフラヴィーら国外の反体制派がどこまで国際世論を味方につけることができるかが、大きなカギとなってくるだろう。

一方、体制転覆のような大きな政治的混乱を嫌う人々は②に望みをかける。

ただし、その場合にも最高指導者の権限など、民主化の阻害要因を抜本的に見直す（すなわち憲法を改正する）ことによる、実質的な政教分離が最低条件となるはずだ。

イスラム体制を換骨奪胎するくらいの大転換が約束されなければ、このシナリオが実現する可能性は低い。

だが、目下のところイスラム共和国は民主化を頑なに拒んでいる。

仮にハメネイ亡き後もこうした路線が継承された場合、③のような悪夢も現実のものとなりかねない。実際にイラン政府は中国政府の全面的な資金・技術提供のもと、サイバー空間を含めて国民を完全な監視下に置くシステムの構築を急いでいると言われる。

今後、もし①や②のような変化が起きた場合には、ビジネス等でイランと直接関わる日本人も増えることが予想される。

そのときのために、蛇足かもしれないが「イラン人とうまく付き合うためのコツ」を、最後に述べておきたい。

まず、特にビジネスシーンにおいて日本人が心がけるべきなのは、あまり細かいことにこだわるな、ということである。

イラン人は、良くも悪くも「見る前に跳べ」を地で行く人たちである。

そのせいで、後になって何度も計画を練り直したり、計画そのものが頓挫(とんざ)したりすることも確かにある。

しかし、この「行き当たりばったり」こそ彼らのスタイルなのである。

実際、イラン人はピンチに強く、目を見張るような八面六臂（ろっぴ）の働きで、予期せぬ問題を次から次へと解決する能力に長（た）けている。

だから、普段は慎重な日本人も、イラン人を相手にしたらここはひとつ賭けだと思って、少し冒険したほうが彼らと楽しく仕事ができるはずだ。

それからイラン人は、仕事とプライベートを厳密に分けるようなこともしない。

これはひと昔前の日本人とも共通するかもしれないが、彼らと信頼関係を築くためには、自宅に呼んだり呼ばれたり、おごったりおごられたりという、ある種の「馴（な）れ合い」が絶対に必要である。

そこで変に遠慮したり、時間とカネの無駄と考えたり、はたまた「上司の許可を」などと無粋なことを言っているようでは、いつまでもイラン人との距離は縮まらないだろう。

もちろん、以上のようなことを心がけていても、双方の性格的なものや、異文化理解の程度の差などによって、互いになかなかよきビジネスパートナーとなれない場合もあるかもしれない。

しかし、本書でも述べたようにイラン人は大の親日家である。

その誇りを胸に、辛抱強く彼らと付き合っていけば、どんな日本人も必ずイラン人の良き友人となれるに違いないと私は信じている。

なお、本書をお読みになり、イラン人の気質や国民性に関心を持った方には、参考までに、岩崎葉子著『「個人主義」大国イラン』(平凡社新書、二〇一五年)をご紹介したい。かつて私自身も大きな影響を受けた本である。

また、近年のイランの国内事情および同国をめぐる国際情勢をもっと詳しく知りたい方は、鵜塚健著『イランの野望：浮上する「シーア派大国」』(集英社新書、二〇一六年)新冨哲男著『イラン「反米宗教国家」の素顔』(平凡社新書、二〇二一年)の二冊を是非とも手に取ってほしい。どちらもイランの現在地を知るうえでまたとない好著だ。


本書の出版までには、多くの方々のお世話になった。

とりわけ、私にイランについて本を書くことを勧め、脱稿後には解説の執筆を快く引き受けてくださったノンフィクション作家の高野秀行氏と、遅筆な筆者を常に叱咤激励し、適切なアドバイスをくださった角川新書編集長の岸山征寛氏に、この場を借りて深甚なる感謝を申し述べたい。

学生時代から高野氏の著作のファンだった私は、「誰も行かないところへ行き、誰もやらないことをし、誰も書かない本を書く」という氏の生き様に陰ながら憧れを抱いてきた。

もちろん本書はその真似事にすらなっていないわけだが、自分の書いた本が高野氏の解説とともに世に出るなど想像もしていなかったことで、この喜びには言葉で言い尽くせないものがある。

それから、本書の性格上、実名で紹介することがかなわなかった私の聡明なイラン人の友人たちにも、心からお礼を申し上げる。言うまでもなく、彼らとの対話なくしてこの本はなかった。

最後は、私の愛する国のために祈りを捧げ、筆を擱くことにしたい。

イランに光あれ。イラン人に自由あれ。

解説――愛溢れる唯一無二のイラン観

高野　秀行（ノンフィクション作家）

通常、新書の巻末に「解説」などない。なのに本書にあるのは、著者の身元を保証するためである。「若宮總」というのはペンネームだ。「はじめに」にも書かれているように、若宮さんはイラン国内に住んでおり、ときどき日本に帰る（あるいはその逆の時期もある）という生活を送っている。もしイランのセンシティブな部分について率直なことを書くと、イラン政府当局に目をつけられ、「好ましくない外国人」として入国を許可されなくなる可能性がある。それを避けるために筆名を用いることにした。ただ、どこの誰かわからないと、「こんな人が実在するのか？」と疑われてしまう。そこで「謎のイラン通・若宮總」と面識がある私がその実在を保証したい。

そもそも若宮さんに本書を書くように勧めたのはこの私だ。二〇一八年から二〇二三年にかけて私はイランの隣国イラクでの取材を行っていた。イラク南部には「アフワール」と呼ばれる巨大湿地帯がある。水牛を飼って暮らしている水の民が今でも暮らしている。そこは古くから戦に負けた者やアウトローや民族的・宗教的マイノリティーが逃げ込む場所であり、反体制派の拠点であった。だから私はその梁山泊のような場所を『イラク水滸伝』と名付け、通って取材を行ったうえ、同名の本を書いた。

その「アフワール」の一部は現在イラン領になっている。本書でも近年のイランにおけるペルシア民族主義の高まりにより「アラブ系住民への差別や偏見が助長されるのではないか」と懸念されているが、そのアラブ系住民の多くは湿地帯周辺に住む人たちだ。

私は一時期、アフワールのイラン側も取材したいと考えた。国境地帯に住む湿地民の人たちは水の上を自由に行き来している。そのルートで麻薬や武器の密輸も行われているというもっぱらの噂だ。ただ、私の知り合いはみんなイラク人であり、イラン側に何もコネクションがない。誰か話が聞ける人はいないかと探していたら、たまたま若宮さんに行き当たった。共通の知人を通して紹介してもらい、最初はテヘランの若宮さんとビデオチャットで話をしたのだが、話している途中で、「あ、俺、この人の文章を読んだことがある！」と気づいた。

私は二〇〇九年にイランを旅行したことがあり、その前後に、イラン関係の書籍や文献をまとめて読んだのだが、その中でも若宮さんの文章は際立って面白かった。イランにかぎらず、中東関連の情報は、政治・経済・宗教に著しく偏っており、一般の人々の生活や庶民文化を描いたものは少ない。若宮さんはそれを実に生き生きと描いていた。なにより「研究者」とか「外国人目線」ではなく、実際に庶民の中に入って一緒に暮らしながら体験したことを記しているのが貴重だった。しかも書きぶりはとてもフェアで、さり気ないユーモアをも持ち合わせていた。

私はその後、何度か若宮さんとビデオチャットで相談し、彼が帰国したおりには東京の新宿で一緒に食事もしたのだが、人物もそのとおりだった。全く飾らない人柄で、いつもひょうひょうとしており、「僕なんか大したことないですよ」と言いつつ、イランについて訊（き）くと、およそどんなことでもたちどころにして説得力のある答えを返してくる。よくそんなことまで知ってるなと驚かされ、やがて「この知識と経験は広く日本人に共有されるべきだ」と思うようになった。いや、正直に言えば、私自身が「若宮さんがイランについて書いた本を読みたい！」という欲求を抑えきれなくなったのである。

訊いてみると、若宮さん自身も何か本を書きたいと思っているとのことだったから、早速、私の担当編集者でもある角川新書の岸山征寛編集長に紹介した。人文書と文芸書において相当の目利きである岸山さんは、若宮さんの誠実な人柄と文章力に感銘を受け、すぐに執筆を依頼した。

とはいえ、新書一冊を書く作業は簡単ではなかったようだ。ときおり、「遅々として進みません」とか「こういう話を書くのはどうでしょうか」といった相談のメッセージが私に届き、苦労しているのが察せられた。それは当然だろう。単行本を三〇冊以上出版している私ですら毎回、本を一冊書くのは難事業なのだ。ましてや彼はもともと文筆家ではない——。

　ここで「では彼はいったい何者なのか？」という最初の問いに戻る。差し支えない範囲で説明すると、彼は一九七〇年代に日本の某県で生まれた。幼少期から十代の頃、ＮＨＫの「シルクロード」や沢木耕太郎著『深夜特急』などに親しみ、漠然と中央アジアや西アジア（中東）に憧れをいだいたが、やがてイランに強く惹かれるようになった。いろいろ理由はあるが、一つにはイランがひじょうに長く、かつ浮き沈みの激しい歴史をもつ国だったからだという。ホメイニ師による「イスラム革命」をニュースで直接知っている世代だったため、その印象も強かったらしい。

　大学卒業後は大学院に進学し、イランのある分野を研究。イラン国内の大学に数年留学したこともある。大学院まで進んだものの最終的には研究者にはならなかった。理由はいろいろあったが、一つにはイラン人の生の暮らしぶりを一緒に体験する方が論文を読んだり書いたりするより面白くなってしまったからだという。

　研究者の道から下りた後は、しばらく日本国内でイランとも学術とも関係のない仕事をしたり、海外を旅したりしていたが、「それでもイランのことを忘れたことは一度もありませんでした」という。ほとんどイランが「恋人」のようなのだ。結局、恋人が忘れられず、若宮さんはイランに戻った。といっても、多くの海外在住日本人がそうするように、彼は日本企業関連の仕事を好んでやろうとせず、あくまでイラン人と一緒に仕事をしてきた。イラン人オーナーの下で働いたこともあるし、この数年はイランに住むイラン人向けに日本の文化を教える塾みたいなものを経営しているという。また日本国内のイラン人にオンラインで日本語を教えたりもしているらしい。

こうして、ひたすらイラン人社会に埋没し、得られた経験と洞察が本書にこめられている。その多くは他のイラン関連書籍には全く見られないものである。

私はイランへは一度行ったことがあるだけ、しかも一〇日間という短期滞在だった。それ以外では、『移民の宴』という本を書いたときに、在日イラン人たちを取材したことがあるだけだ。だから多くを語ることができるわけもないが、私の強みはアジアとアフリカのイスラム圏をひじょうに広く旅していることだろう。そして、イラン（あるいはイラン人）は私の中で強烈なインパクトを残している。本書ではイラン人の特性について存分に描かれているが、私はそこに補足して、他の地域のムスリムとイランのムスリムがいかに異なるのかをいくらか述べてみたい。

イランはイスラム（シーア派）の法に則って国家運営が行われている世界で唯一の国であるが、私の印象では「イラン人は中東でいちばんリベラル（世俗的）な人々」である。その第一の証拠は「酒」。私は大の酒好きなので、イスラム圏では酒探しに苦労することが多い。イスラムでは基本的に飲酒を禁止しており、したがってイランでは酒を販売したり飲んだりすることは違法である。ところがイランほど簡単に酒が入手できるイスラムの国は珍しい。誰か親しくなった人やタクシーの運転手に「酒ないかな？」と訊くと、すぐに持ってきてくれるのだ。中には「酒？　何？　ビール、ウイスキー、ワイン、ウオッカ？」と矢継ぎ早に質問され、こちらがへどもどするほどである。私の知りあったイラン人によれば、「イランでは酒を売ったり買ったりして逮捕された人はほとんどいない」とのことだ。

イスラム圏でも酒を飲んでいる人はどこにでもいるが、イラン人ほど多くはない気がする。都市だけではなく地方でもそうで、私はイラン北部のカスピ海の岸辺で漁師が網を引き揚げるのを見ていたら、彼らの中にウイスキーで泥酔した漁師がいて、飛行機になったたつもりか両手を広げてブーン！　といいながら砂浜を走り回っているのに爆笑した。真っ昼間なのにこれだ。もっと酒に大らかなイスラムの国でも、地方の小さな町で、しかも不特定多数の人と出会うような場所で昼間から酒を飲んだりしないから、本当に驚いた。

決して私が偶然、酒飲みにたくさん遭遇したわけではない。イラン滞在経験のある人のほぼ全員が同じようなことを語っている。

日本の大手メディアの特派員だった知人によれば、その人がテヘラン市内のマンションに住んでいたとき、隣に新しい人（イラン人）が引っ越してきた。礼儀正しく挨拶に来たそのイラン人は手土産にワインのボトルを携えてきたという。

別の日本の大手メディア特派員の知人の話はもっと強烈だ。彼はある日、イスラム判事から自宅へ来るようにと出頭を命じられた。イスラム判事とは宗教的な事柄を判断するひじょうな権力者であるため、日頃からイラン当局の知られたくない部分を取材している知人は緊張した。いったい何が問題だったのかとおそるおそる出向いたところ、判事はリビングルームに案内して「これを見ろ」と言った。そこには世界中のウイスキーやワイン、ジンなどのボトルが部屋中の壁を埋め尽くしていた。有名な酒ばかりだ。判事は酒好きで、この素晴らしいコレクションを誰かに見せびらかしたかったが、なかなかイラン人では価値がわからないので、外国人を呼んだらしい……。

もう一つ、イラン人の世俗性が発揮されるのは家の中だ。普通、イスラムの家庭では男女が一緒に食事をしたりしない。現在のイラクでは女性は客の前に姿を現すこともない。どこからか御馳走が運ばれてくるのが普通である。

ところがイランでは別。本書にもあるように、イランでは女性もみんな男性のお客と一緒にご飯を食べる。私だけではない。イラン人は客好きなので、イランを旅行した日本人はかなりの確率でお呼ばれして御馳走になっているが、誰もが同じように男女一緒の会食を楽しんでいる。

彼らは当局による信仰の押しつけが嫌でたまらないらしく、外ではしかたなく女性はベールをかぶり、男性と女性は距離をおいている（ふりをしている）が、家の中に入ると突然態度が変わる。

私がお邪魔したある家はとりわけすごかった。私は男性の友人と先に家へ行き、あとから奥さんが帰ってきたのだが、リビングルームに入ってくると、にこにこしながら私に「ハーイ！」と挨拶したあと、いきなり頭にかぶっていたスカーフを床にたたきつけ「ファック!!」と怒鳴った。体の線が見えないような長いワンピースを脱ぐと、Tシャツにハーフパンツになり、私の肩に手を回して「一緒に写真撮ろう！　イエーイ！」と言う。初対面の外国人男性に対して、ここまでフレンドリーというかフリーダムな女性は日本でもなかなかいないのではないか。

最後に挙げたいのが――本書に描かれていることと通底するが――、イラン人のイスラム観である。あまりに多くの人が「イスラムはよくない」と言うし、英語を話せない人でも

「イスラム～、ホメイニ～、ホゲ～」とゾンビみたいな顔をして揶揄する。周りの人たちも笑っている。

横浜にかつてあったイラン人の食材店で会った若い男性は首にゾロアスターのシンボルである鳥の翼みたいな形のペンダントをつけていた。イスラムでは他の宗教の施設を訪れることも禁じている（だから在日ムスリムも初詣に行くことはできない）くらいなのに、他の宗教の象徴を身につけるなんて論外である。

「いいんですか？」と思わず訊いたら、その場に居合わせた別の女性が「もちろん。だってゾロアスターが私たちの本当の宗教だから。イスラムはアラブの宗教」と言うのを聞いて思わずのけぞった。しかもその言い方はタブーに挑むような気配は微塵もなく、あまりに当たり前という感じであった。

イラン人ムスリムは本当にムスリムなのか？　と疑ってしまう。私の体験上、世界各地のムスリムに共通しているのは「決してイスラムを相対化しない」ということである。中にはお祈りなんか全然しないとか、酒を普通に飲んでいるとか、ラマダン月に断食をしないという人もいる。また、イスラムの男女を峻別する習慣に異議を唱えたり、宗教と政治を分離すべきだと考えたりする西欧民主主義的な人たちも（特に知識層の間では）少なからず存在する。

でも彼らですら「イスラムは酒に関して厳しすぎる」とか「イスラムも時代に沿って変わるべきだ」といった言葉を絶対に口にしない。その代わりに、彼らは「いや、ほんとうのイスラムはそうじゃない。コーランにも『自分の頭で考えて判断しなさい』と書いてある」とか「形式だけを守るのが信仰ではない。心が重要だ」などと答える。いかなる形であっても、イスラムを批判的に論じたり、客観的に評価したりすることはない。

それを見聞きする度に、「ムスリム」とは「服従した者」を意味することを思い出す。イスラムの教えを外からの視点で見ること自体が「背教」であり、ひじょうに深刻な違法行為なのだ。実際、私の知る人でイスラム自体を批判する人（複数いる）は信仰を捨てている。信仰を捨てることはイスラムで死罪に値するので家族にすら秘密にしているらしいが。

ところが、私の知るかぎり、イラン人だけが――しかも多数の人が――その「外からの視点」を平然と取り入れている。まるで日本人の多くが宗教を訊ねられて「一応、仏教徒」と答えるように、彼らも「一応、ムスリム」という感覚なんじゃないかと想像してしまう。そしてそういう日本人の多くが「もともと日本は神道だし」というぐらいの自然さで、イラン人は「もともと私たちはゾロアスターだし」と言うのではないか。

イランのパラドックスはまさにここにある。イラン・イスラム共和国は世界で最もイスラムに厳格な国家なのに、国民の圧倒的多数を占めるイラン人ムスリムは世界で最も世俗的というパラドックスだ。

私の限られた体験では「現象」は見えても社会の仕組みまではわからない。その矛盾がいかにしてイラン社会の中に収まっているのかは若宮さんの話を聞き、初めてある程度理解できた。要するに、イスラム国家というのは極めて表面的な「建前」であり、イラン人のリアルな生活や本音は実は地下に隠されている。そして、地上が一割で地下が九割ぐらいの圧倒的な比率で地下世界が大きいようなのだ。

「イランっていうのはほとんどが地下世界みたいなもんですね。そういうタイトルにしましょう！」と私が言って本書のタイトルとなった。

実際に書き上がった原稿を読むと私の想像を大きく上回る驚きがいくつもあった。例えば、チャドルをまとった「イスラム・ヤクザ」の逸話は強烈だ。チャドルはヤクザの入れ墨みたいなもので、それをまとった人は当局につながっており、何をされるかわからないから、怖くて誰も何も言えない——なんて、これまで誰も報告したことのない事例である。しかも、イラン人にとってはごく普通のことらしい。

また「政教一致がよくない理由」にも感じ入った。普通は「政治に宗教が関与すると信教の自由や言論の自由が損なわれるからよくない」とされるが、実際にはそんな程度で済まない。政教一致の国では、政治不信になると宗教まで信用を失ってしまうという指摘には本当に目から鱗であった。

若宮さんはイラン人の生活実感をすくいあげる能力について他の追随を許さないばかりか、大学で研究生活も経てきた人として、それを筋道だった論理にまでまとめ上げることができる。そのイラン観は唯一無二だと思う。

もう一つ、若宮さんの特徴は、イランをよく知っているだけでなく、イランが「恋人」であるという点だ。上から見下ろすことはなく、いつも熱く（ときに「暑苦しいほどに」）イランについて考え、語る。後半、イラン人に対してかなり厳しく物申している部分では、私は正直少し笑ってしまった。なぜなら、外国人がイラン人を批判しているのではなく、世界情勢や歴史をよく知るイランの知識人が母国の状況を嘆いているように見えたからだ。

若宮さんはもう彼自身が半分以上イラン人なのだと思う。だからこそ、最後の一文「イランに光あれ。イラン人に自由あれ」にはウルッときてしまった。これこそ本書で若宮さんが最も言いたかったことではないかと感じられたから。圧政に苦しむ「母国」イランの人たちへの愛が溢れている。

若宮さんと同様、私も「イラン人に自由あれ」と祈らずにはいられなくなったのである。

地図・図版作成　本島一宏
写真提供　若宮總
時事通信社

本書は書き下ろしです。
本文中に登場する方々の肩書きおよび年齢は、いずれも取材ないし執筆時のものです。

若宮　總（わかみや・さとし）
10代でイランに魅せられ、20代より留学や仕事で長年現地に滞在した経験を持つ。近年はイラン人に向けた日本文化の発信にも力を入れている。イラン・イスラム共和国の検閲システムは国外にも及んでおり、同国の体制に批判的な日本人はすべて諜報機関にマークされる。そのため、体制の暗部を暴露した本書の出版にあたり著者はペンネームの使用を余儀なくされた。

イランの地下世界

若宮　總

2024年 5 月 10 日　初版発行
2024年 8 月 10 日　3版発行

◆◇◇

発行者　山下直久
発　行　株式会社KADOKAWA
〒102-8177　東京都千代田区富士見 2-13-3
電話　0570-002-301（ナビダイヤル）

装 丁 者　緒方修一（ラーフイン・ワークショップ）
ロゴデザイン　good design company
オビデザイン　Zapp!　白金正之
印 刷 所　株式会社KADOKAWA
製 本 所　株式会社KADOKAWA

角川新書

ISBN978-4-04-082476-5 C0295